Pour une marche
à l'endroit

Yanic Koram

Pour une marche
à l'endroit

Libre Expression

Données de catalogage avant publication (Canada)

Koram, Yanic

Pour une marche à l'endroit

Autobiographie.

Comprend des réf. bibliogr.

ISBN 2-89111-655-0

1. Koram, Yanic.   2. Thérapies corporelles.   3. Esprit et corps.   4. Bonheur.
5. Psychothérapeutes – Québec (Province) – Biographies. I. Titre.

RC438.6K67A3 1996   616.89'0092   C96-940143-4

Pour tous renseignements sur les activités professionnelles de Yanic Koram (cours, stages, conférences, etc.), écrire à : CERA, 4200, avenue de l'Hôtel-de-Ville, Montréal, Qc H2W 2H2. Tél. : (514) 277-4357.

Illustration de la couverture

GILLES ARCHAMBAULT

Photographie de l'auteur

STÉPHAN POULIN, 1996

Maquette de la couverture

FRANCE LAFOND

Infographie et mise en pages

SYLVAIN BOUCHER

© Éditions Libre Expression

2016, rue Saint-Hubert

Montréal, Qc H2L 3Z5

Dépôt légal :

1er trimestre 1996

ISBN 2-89111-655-0

À Thierry,
à mes enfants;
mon amour les accompagne.

Remerciements

Je remercie tous ceux qui, à travers leurs écrits, leurs paroles, leurs gestes, m'ont offert tous ces pains de vie qui m'ont si abondamment nourrie et fait grandir.

Je remercie ces présences visibles et invisibles qui m'ont tenue, soutenue, inspirée pendant l'écriture de ce livre.

Je remercie aussi mon âme pour m'avoir fait clairement comprendre à travers ce livre que j'étais avant toute chose au service de son élan vers le Père.

Ce qui importe ce n'est pas tellement ce qui est vrai, mais ce qui nous aide à vivre.

Nietzsche.

Avant-propos

La clef dans la serrure, la porte vite ouverte, je me dirige, impatiente, vers la terrasse de ma chambre d'hôtel, qui me donne à voir la luxuriante végétation des tropiques, la mer à l'infini…

La chaleur me caresse, les odeurs me pénètrent, la musique de la nature m'enveloppe, les couleurs, la variété des fleurs et des arbres m'invitent au silence et à l'immobilité. Je ne pense plus. J'écoute. Je sens. Je ressens le plaisir du corps. Pour la première fois depuis bien longtemps, je vis, sur cette terrasse, une seconde d'éternité. Rien à faire, rien à dire, seulement recevoir. S'ouvrir aux dons de la terre et du ciel.

Au milieu de ce paysage si semblable à ceux créés par le Douanier Rousseau, un seul arbre domine de beaucoup tous les autres : c'est un palmier royal. Mon regard tout d'abord attiré par sa taille sculpturale et son emplacement si près de ma chambre reste accroché à lui. Je remarque la forme phallique de son tronc où se devine la vitalité de sa sève qui lui permet de se maintenir droit et de pousser sa tête toujours plus haut. Montées de sève que j'associe à la force érotique du désir qui alimente chaque humain que nous sommes dans sa demande vitale de dépassements, de conquêtes futures pour satisfaire son «vouloir grandir» à tout prix. Souhait constant, souhait secret qui en chacun de nous, soit nous tient en attente de devenir, soit nous propulse vers ce devenir si nous savons bien canaliser et orienter la force de ce désir.

Les feuilles du palmier retiennent maintenant mon attention. Disposées en couronne autour de sa tête, elles plient, obéissent au souffle du vent, sans que jamais leur forme ne soit dénaturée ou altérée. Aériennes, majestueuses, elles vivent au gré des éléments et semblent me narguer tant j'envie leur souplesse, l'indolence de leur danse. Quant aux fruits, tous agglutinés par grappes serrées autour de la tête de l'arbre, ils me renvoient plus à ce que j'ai été, à ce que je suis encore parfois, à ce que sont toujours beaucoup d'humains attachés à leur mental, à leur tête, agrippés à leur chef, le corps crispé, de peur de lâcher prise.

Puis je découvre, au sommet de l'arbre, une tige pareille à une antenne orientée vers l'est. Tel un doigt, elle me montre avec fermeté où je dois regarder pour vivre cet instant magique du passage des ténèbres à la lumière.

Je me sens respirer, je le sens vivre. Peu à peu, tout ce qui nous entoure s'estompe, nous restons face à face. Cet arbre me dérange et me fascine à la fois. Je ferme les yeux et, dans l'imprévu de cette rencontre, me reviennent en mémoire les images d'un rêve fait avant mon arrivée au Québec :

Je me trouve dans une forêt tropicale, échappée d'une galère où l'on me tenait en esclavage, avec dans les mains une machette. Pour vivre, je sais qu'il faut que je pénètre en cet enfer afin de retrouver un arbre déjà entrevu.

Je n'ai pas le choix, et c'est avec bien des réticences que je m'enfonce dans la jungle. Je taille mon chemin à grands coups de machette. Après maints efforts et épreuves, il est là, face à moi; c'est un palmier royal, pas très grand mais vigoureux. Il faut qu'il m'habite.

Cette intégration est si difficile qu'elle me réveille. Je note mon rêve mais n'en comprends pas le sens et me rendors. Plus tard, je rêve que je nage dans l'eau de mer, tentant de résister au ressac, rejetée par les vagues, vivifiée par le sel.

Nourrie, fourbue, je m'échoue sur le sable avec la sensation d'avoir été remplie, remodelée, retournée comme un gant.

J'ouvre les yeux. L'arbre est là, omniprésent. Il me saisit et donne sens à mon rêve; j'entre dans la connaissance.

Je me sens inspirée, interpellée. Je fais alliance avec lui et le dialogue s'établit :

«Ne cherche plus. N'essaie plus. Fais.

— Mais quoi? Comment?

— TÉMOIGNE.

Reconnais l'arbre qui t'habite et que tu as fait grandir.

Parle de la croissance de cet arbre qui est la danse même de ta vie.

Reconnais son essence, nomme-la afin qu'elle vive en toi et que tu t'y reconnaisses en tant que personne unique, pour que d'autres à leur tour se nomment.

Témoigne, comme tu le fais dans tes cours, de ce travail de défrichage, de taille, de mise à nu, de ce travail secret profond sur le corps-forme pour rejoindre l'esprit qui l'anime.

Parle de la reconquête de la place de l'homme au point de jonction des deux axes, vertical et horizontal.

Vois mon tronc : il symbolise la verticalité de l'homme, son aspiration au plan divin.

Regarde mes feuilles : elles représentent l'horizontalité du plan humain, image de l'horizon de vos vies manifestées sur terre.

Découvre mon antenne : elle vous montre votre direction de vie, qui se doit d'être orientée vers l'ouverture à la totale lumière, celle de votre nature accomplie.»

L'idée de ce livre s'est alors imposée. L'envie d'écrire, de décrire comment se fait ce retour à soi. Comment les ressacs (nos épreuves) et la poussée des vagues (notre force intérieure) nous modèlent, nous épuisent, nous construisent. Comment le travail sur le corps-forme nous aide à nous ouvrir pour nous permettre plus tard notre «marche à l'endroit[1]».

1. Annick de Souzenelle, *Le symbolisme du corps humain.*

Introduction

«Viens, marche, toi tout seul… comme un grand.»

Temps suspendu que celui qui couvre les premiers pas d'un enfant. Moment fragile, incertain, mêlé d'angoisse partagée entre l'enfant et l'adulte qui l'encourage à se «lancer dans le monde qui l'appelle[1]». L'enfant, dressé sur ses jambes, fort de cette verticalité nouvellement acquise, s'interroge, évalue, mesure. Le défi est de taille et demande réflexion.

«Vais-je oser partir seul, sans soutien, là-bas? Puis-je faire confiance à mon corps? Celui-ci est-il prêt pour un tel exploit? Gardera-t-il l'équilibre? Sait-il bien mesurer la distance réelle à parcourir? Le sol sur lequel je m'appuie résistera-t-il et saurai-je y trouver, alors que je m'y enfonce, l'élan qui m'aidera à le quitter pour faire un nouveau pas? Enfin, puis-je faire confiance à cet autre, en face de moi, quand je lis dans ses yeux la certitude de ma réussite?»

L'enfant hésite, se lève, se rassoit, se dresse de nouveau, incertain, ne sachant s'il pourra vraiment, sans soutien, aller vers ce là-bas si proche.

----

1. Henri Bossu et Claude Chalaguier, *Expression corporelle*.

Moment merveilleux, magique, d'intense émotion, où l'enfant, regardant devant lui, accroché souvent au regard de l'adulte, si celui-ci s'est mis à sa hauteur, s'élance et réussit ses premiers pas. Visage rayonnant de bonheur, de fierté et de joie, pour cet impossible vaincu qui lui donne à sentir la mesure de sa puissance de «petit» d'Homme fait à l'image des «grands», enfin prêt pour partir à la conquête de son propre monde. Étape capitale sur le chemin de son humanisation, qui le conduira, à travers l'acquisition de son autonomie, à son individualisation, pour atteindre sa dimension universelle.

Je ne me souviens pas de mes premiers pas; mais il me revient en mémoire le vécu de la fillette de trois ans, assise sur un banc, dans un jardin public, avec sa mère. Toutes deux attendaient avec impatience ce père dont la stature et la personnalité évoquaient pour l'enfant tous les dieux de l'Olympe. Elle anticipait le plaisir de ces retrouvailles, car il allait de nouveau la voir marcher, elle qui venait de subir, dans une ville étrangère, toutes sortes d'interventions thérapeutiques à la suite d'une maladie étrange qui ne lui avait laissé que la peau et les os.

Elle avait docilement accepté tous les soins, même les plus douloureux, dans le but de montrer à son papa qu'elle était une «grande» fille courageuse capable de marcher de nouveau. Bien qu'encore fragile sur ses petites jambes, elle n'hésita pas, quand elle le vit, à rassembler avec courage ses forces pour courir se jeter contre lui. Il l'embrassa distraitement, la regarda à peine, tout entier tourné vers sa mère qu'il retrouvait aussi après cette longue séparation.

L'apparent désintérêt de son père pour elle, la non-reconnaissance de ses efforts, la présence absente de sa mère à son endroit, provoquèrent un terrible choc. Ses jambes ne la portaient plus, la terre se dérobait sous ses pieds. Coupée en deux, sans appui, l'élan brisé, près de ses parents inconscients de son drame, vaillamment elle tentait de se rassurer (c'est ce que Françoise Dolto appelle «se raisonner[1]»), pour ne pas pleurer, pour ne pas crier la douleur de son cœur.

«Que je suis sotte, se disait-elle, c'est "normal" que papa trouve ça "normal" que je remarche. C'est "normal" d'être guérie puisque les docteurs m'ont soignée. Sans doute maman a-elle déjà dit à papa que je marchais, et puis c'est "normal" qu'il préfère parler tout de suite à maman et l'embrasser puisqu'elle est grande et que moi je ne suis encore qu'une "rien du tout".»

Est-ce ce jour-là que je me suis juré à moi-même que j'existerais «quand même», même si je ne suis rien d'important à leurs yeux ni aux yeux du monde entier?

Ou bien est-ce le jour de ma naissance, lors de ma première inspiration qui concorda avec la déception de mon père d'avoir «encore» une fille?

La plupart d'entre nous avons été cet enfant vulnérable, touché en plein cœur, blessé au fond de l'âme, submergé par la souffrance, pour ne pas avoir été, enfants, confirmés par quelqu'un de significatif dans le droit qu'a l'enfant d'exister tel qu'il est, d'être aimé pour ce qu'il est, d'être reconnu pour ce qu'il fait.

Si nos besoins sont facilement identifiables, la façon de compenser, de pallier ou de masquer l'atteinte à nos droits va dépendre de chacun. Selon la gravité de la blessure infligée à l'enfant, selon la nature de l'enfant, certains choisiront de se battre pour avoir et garder leur place, pour exister, pour être entourés de tendresse

---

1. Françoise Dolto, *Solitude*.

et de chaleur. D'autres accepteront de se soumettre, pour avoir l'attention de leur parent et croire à leur amour. D'autres enfin s'enfermeront dans des souffrances mentales sans issue.

Est-ce que ce sont ces deux mots, «quand même», qui m'ont provisoirement sauvée et permis de croire que rien ni personne ne m'empêcherait de grandir et d'exister? Je me souviens d'y avoir eu recours enfant et adolescente chaque fois que le comportement de mes parents, dû à leur propre blessure, refaisait surface et menaçait mon propre droit à exister, tant il est vrai que beaucoup de parents «n'ont pas de trésor plus précieux à léguer à leurs enfants que le mal qu'ils ont eux-mêmes subi[1]».

Ainsi nous grandissons et nous marchons.

«Marche en avant» à cloche-pied, quand l'enfant décide de se conformer au désir des parents en devenant l'enfant modèle, l'enfant chéri, pour traverser son enfance sans trop se blesser, au prix de cet autre lui-même qu'il terre au fond de lui et tente d'étouffer.

«Marche en avant» en traînant les pieds, pour cet autre, petit insolent, petit révolté qui ose aller contre le dire des parents et risque à chaque instant, par ses rébellions, de perdre l'essentiel : la sécurité, l'affection dont il a besoin pour grandir.

«Marche en avant» sans pieds, pour le déraciné, le sans «Terre-mère», le sans «Soleil», qui a choisi pour survivre de se détacher du milieu familial. Dans l'isolement et l'ennui, il grandit dans l'attente future de sa terre d'exil. Terre d'exil où il pourra se poser, se reposer, rebondir. Terre d'exil où, espère-t-il, une seconde chance lui sera donnée.

---

1. Kathleen Kelley-Lainé, *Peter Pan ou l'Enfant triste.*

«Marche à l'envers» plus tard, à l'âge adulte, dans un corps non connu qui ne sait qu'obéir à un «moi» tyrannique rêvant de revanche, de contrôle absolu, sur lui-même d'abord, sur les autres ensuite. Choisissant, inconsciemment d'ailleurs, des rôles qui le piègent, le laissant insatisfait, désenchanté, dévitalisé.

«Marche à l'endroit» enfin, pour nous tous qui, essoufflés, à bout de forces et de ressources, sommes obligés d'écouter ce corps qui se met à commander. Nos certitudes, nos croyances tombent. Le présent nous renvoie au passé. Pour avancer, il nous faut régresser. Nous n'avons d'autre choix que de partir à la recherche de nouveaux appuis, de nouveaux repères, de nouvelles lois, en changeant de peau, et de pieds aussi.

«Marche à l'endroit» en bien des points similaire à cette marche cosmique que décrit Hubert Reeves dans son livre *Patience dans l'azur*. Ascension qui s'effectue, nous dit-il, selon un plan préétabli qui traverse bien des crises : «Certaines furent graves. Par instants, tout semblait sérieusement compromis. Mais l'univers est inventif. Il a toujours su sortir de la crise. En certains cas il a dû revenir loin en arrière pour retrouver la voie.»

Il me plaît d'évoquer ces propos d'Hubert Reeves pour m'émerveiller davantage sur notre propre ascension cosmique, sur les étapes successives qui nous structurent chaque fois un peu plus en humain, sur les épreuves qui nous conduisent à notre éveil, sur les chemins labyrinthiques que nous parcourons dans nos différentes matrices où parfois nous nous égarons à la recherche du sens de nos vies.

Pour retrouver la voie, pour commencer à mon tour ma marche à l'endroit, il m'a fallu revenir loin en arrière, reparcourir les sentiers de mon enfance où je me suis blessée. Au fur et à mesure, j'ai mieux compris l'adulte que je suis devenue. Pendant tout ce temps, j'ai aussi appris comment nous pourrions grandir sans trop souffrir et comment nous pourrions peut-être aider nos enfants à le faire.

Suis-je devenue pour autant cette mère «suffisamment bonne», pour reprendre la terminologie de D. W. Winnicott, capable «de se mettre à la place de l'enfant et de savoir ce dont il a besoin quant à sa personne[1]»? Je ne sais si je le suis, tant il est difficile de donner ce que l'on n'a jamais reçu.

Mais peu à peu, revenue à mes premiers pas, j'ai gagné l'assurance que mon chemin de vie était bien tracé là, devant moi. J'ai aussi retrouvé d'une certaine façon mon visage d'enfant et avec lui la joie et le bonheur d'être une «personne» sur le chemin de son devenir.

---

1. D. W. Winnicott, *Processus de maturation chez l'enfant.*

PREMIÈRE PARTIE

Le temps recompté

Privés de notre histoire, nous sommes absents de nous-mêmes.

Jean Pucelle, *Le temps.*

1

L'entrée dans le temps

La rencontre de deux désirs

La grande aventure de chacune de nos vies commence par la rencontre de deux désirs : celui de nos parents et le nôtre.

Quel désir présida à ma conception ? Est-ce le désir de jouissance de l'un de mes parents ou des deux, à l'occasion d'une relation intime entre eux ? Est-ce le désir d'avoir un autre enfant ? Ou l'espoir, déguisé en désir, de solidifier, par la venue d'un nouveau-né, d'un nouveau lien, une union déjà bien décevante ? Tout me porte à croire que l'annonce de ma venue ne fut pas trop mal accueillie, ni par mon père ni par ma mère, car ils désiraient tous deux fonder une «vraie» famille composée de plusieurs enfants. Et mon désir ? Comment, et surtout pourquoi, ai-je souhaité m'incarner dans cette famille ? Choisir ces parents ? Si nous n'acceptons pas l'hypothèse de ces multiples vies d'âmes qui viennent se réincarner pour parfaire leur chemin d'évolution, je ne puis croire que j'aie réellement voulu ce père, cette mère. Ce choix n'aurait pas plus de sens que l'hypothèse du hasard qui m'aurait fait naître dans ce corps, dans cette famille et à cette époque.

Première mort et renaissance

Secouée par les disputes qui éclataient déjà entre mes parents, réceptive aux émois douloureux que vivait ma mère, je vécus les mois de gestation intra-utérine dans une matrice maternelle plutôt désenchantée par le mariage que ma mère avait accepté.

À terme, ma naissance fut, comme toutes les naissances, personnalisée. Je suis entrée dans la vie, non pas les pieds devant comme certains enfants, ou prématurée comme d'autres, ou la gorge serrée par un cordon ombilical plusieurs fois enroulé, ou tout cela à la fois comme d'autres encore! Non, je suis arrivée dans ce monde terrestre comme il est recommandé de le faire, la tête la première, dans un mouvement de spirale, après un temps et un nombre raisonnables de contractions utérines. Ma foi, peut-être ai-je atterri rouge de confusion dans les mains de la sage-femme qui clama, en me tournant vers mon père : «C'est *encore* une fille!»

Mon désir de vivre heurta alors le désir de mon père qui voulait un garçon. Pour la première fois, mais non la dernière, je venais de bouleverser ses projets et de lui faire en quelque sorte perdre la face, lui qui s'était tant vanté auprès de ses amis et de ses proches qu'il aurait de toute évidence un garçon. Sa déception fut telle qu'il entra dans un mutisme qui dura, m'a-t-on dit, trois jours.

J'ai dû sentir son regard, je doute qu'il ait rencontré le mien, ce premier regard si particulier de tout nouveau-né. Regard dont m'ont parlé plusieurs pères présents lors de l'accouchement de leur femme par la méthode Leboyer[1]. Tous m'ont fait part avec une grande émotion de ce regard d'enfant dans le bain qui suit sa naissance. Bain qui permet au bébé de trouver, dans un

---

1. Frédérick Leboyer, *Pour une naissance sans violence.*

environnement aquatique renouvelé, une continuité à sa vie prénatale. L'un de ces pères me conta :

Je me souviens de cet instant inoubliable où j'ai pris ce petit être fragile, délicat, replié sur lui-même que l'on m'avait confié. Avec mes mains qui soudainement me sont apparues très grandes, je me suis senti terriblement maladroit, un peu comme un tout jeune enfant qui tente une expérience dont il ne connaît rien. Puis, très vite, mes gestes sont devenus plus doux, plus prévenants, plus lents. Entièrement tourné vers lui, je me suis effacé pour n'être plus qu'écoute tactile, qu'amour pour lui.

Doucement, très doucement, je l'ai mis dans l'eau. Peu à peu, j'ai senti son corps se détendre, se risquer à bouger. Il s'ouvrait à sa vie. Sa vitalité, la confiance qu'il m'accordait, firent naître en moi un profond respect pour ce petit être qui était mon fils. Quelle responsabilité d'être son père! Puis il a ouvert les yeux; nous nous sommes alors longuement regardés pour nous rencontrer.

Ce regard est inoubliable. Ce regard dévoile, démasque, dérange. Je me suis senti tout simplement «vu» à un niveau que je ne connaissais même pas de moi-même. C'était lui le grand, et moi le petit. En cet instant, je l'ai senti rempli d'une sagesse toute particulière, il était «celui qui sait», et son regard me renvoyait ma fragilité, mes interrogations, mes difficultés de père nouvellement né.

Ce témoignage, comme tant d'autres, tend à me confirmer qu'à sa naissance l'enfant est en unité avec l'univers et les dieux, plein de ce monde «d'en haut», d'avant la chute, dont témoigne Annick de Souzenelle dans ses écrits. À cet instant, IL EST et, bien qu'en apparence il soit si démuni, si semblable à une petite chose qui ne montre qu'elle fonctionne qu'en criant, il est riche de toutes les connaissances accumulées au cours de ses vies passées. Toutes contenues dans la graine d'arbre, symbole de son âme, semée en lui et qu'il va faire croître, dans cette vie-ci, à partir des multiples expériences qui l'attendent sur son chemin de vie.

Mais cet instant d'éternité est fugitif. Très vite, les sensations tactiles du bain, l'environnement sonore, les premiers soins au cours desquels il se sent tourné en tous sens, mais aussi excité dans tous ses sens, participeront à sa première rupture, sa première séparation, son détachement du monde «d'en haut». Il va même aller jusqu'à oublier totalement cette graine d'arbre qu'il porte en lui. Fin d'un monde, commencement d'un autre : première mort et renaissance.

Une arrivée pleine de risques

Le récit que me fit ma mère de ma naissance ainsi que mes années d'études en psychologie et mon propre travail d'introspection m'ont peu à peu permis de reconstituer mon arrivée en terre humaine. Cela m'a fait aussi comprendre comment au cours de cette étape cruciale pour toute nouvelle vie, souvent, trop souvent par maladresse ou erreur bien inconsciente de la part des parents et parfois même de l'accoucheur, il nous arrive de cueillir, en naissant, une atteinte physique ou psychique dont les manifestations varieront en fonction des événements de nos vies quand ceux-ci inhibent ou réactualisent ce tout premier traumatisme.

Pour ma part, ma première inspiration concorda donc avec le regard contrarié de mon père à l'annonce de mon sexe, ce qui laissa dans mon corps une marque profondément scellée sur la fonction respiratoire qui s'éveillait au même moment. En effet, alors que la vie ouvrait mes poumons en dilatant leurs alvéoles, bon nombre d'entre elles restèrent figées de surprise, de peur, d'inquiétude, que sais-je ? L'arrêt brutal de leur mouvement physiologique, si minime fût-il, eut pour conséquence la détérioration de mon tissu pulmonaire. Quand, plus tard, des foyers d'infection se logèrent dans ces endroits inertes, le diagnostic médical couvrit d'un titre tous mes symptômes : dilatation des bronches, maladie chronique évolutive, incurable.

Après ma présentation à mon père, la sage-femme me remit à ma mère. Bien emmaillotée, bien soutenue, bien lovée dans la forme arrondie de son bras gauche, près de son cœur, à l'écoute de sa voix, accrochée à son sein, je retrouvais, dans le bien-être, la sécurité, le confort que la chaleur de son corps m'offraient, un peu de ma vie prénatale. Mais ma mère — femme de devoir, de principes et de service — était à son tour cruellement déçue de ne pas avoir répondu à l'attente de son mari, cet homme qui s'était fait tout seul et qui ne devait rien à personne, selon ses dires. Tous mes sens éveillés, toutes les pores de sa peau et de la mienne m'ont dit que je n'étais pas le bébé qu'elle désirait, qu'elle n'avait, pas plus que mon père, le cœur à la fête.

Si le bébé est si perspicace dans la justesse de son ressenti, c'est que, déjà bien avant sa naissance, l'ouïe ainsi que l'ensemble du système proprioceptif, dont fait partie la peau, le renseignent sur le monde qui l'enveloppe. En modelant ses propres vibrations sur les vibrations extérieures, il saisit les sons. En adaptant ses propres tensions à l'état de tension de sa mère, il connaît l'état intérieur de celle-ci. À ce stade primitif de relation, la mère peut faire la même chose, et généralement le fait, pour créer ce lien symbiotique mère-enfant essentiel à la vie de son bébé.

Au cours de mes toutes premières heures de vie passées à son côté, sa vive déception d'avoir «encore» une fille ne m'a sans doute pas permis de faire l'expérience de mon omnipotence sur le monde qui m'entourait. Sentiment narcissique primaire de toute-puissance sur le monde, que j'aurais éprouvé si je m'étais sentie la bienvenue, si j'avais senti que j'étais l'objet de toute son attention. Qu'il doit être bon, en effet, pour tout nouveau-né, de se sentir exister tout près de sa mère en tant que petit garçon ou petite fille, accepté dans son sexe, désiré, fêté pour son arrivée au sein de sa famille. Qu'il doit être réconfortant pour tout nouveau-né de sentir qu'il est tout pour sa mère, que celle-ci lui est entièrement dévouée. Qu'il doit être sécurisant aussi pour lui d'être assuré dès sa naissance d'une continuité que rien ne peut rompre «malgré les mutations de sa vie, les déplacements imposés à son corps et en dépit des épreuves qu'il est amené à subir[1]». Ces sentiments couplés avec un meilleur accueil de la part de mon père auraient bien vite mis à l'écart ma toute première angoisse, celle qui suit la naissance. Angoisse que D. W. Winnicott qualifie d'«inimaginable» et qu'il attribue entre autres choses à la peur qu'éprouve tout nouveau-né que sa vie soit dénuée de sens pour ses parents, et par conséquent pour lui s'il ne se sent pas accueilli. Est-ce devant le non-accueil de mes parents que naquit ma quête du sens de la vie et plus particulièrement de ma vie, entachée de la conviction que je ne devais pas être une bonne graine d'enfant puisque je provoquais des réactions si négatives de leur part? Cette certitude m'empêcha sans doute de commencer la vie du bon pied et resta longtemps, très, très longtemps, gravée dans mon cœur et dans mon corps.

L'absence de joie de ma mère devant cette nouvelle fille, la deuxième de la famille, comment l'ai-je vécue, où m'a-t-elle marquée? Est-ce là, dès ce premier jour, que s'installa cet état

---

1. Françoise Dolto, *L'image inconsciente du corps.*

mélancolique que j'ai pendant si longtemps combattu et cherché à cacher?

Le temps à l'œuvre

Une fois terminée l'odyssée de mon éveil à la vie terrestre, le cœur sans doute serré de n'avoir pas reçu les gestes d'amour, les mille caresses qu'il appelait, fatiguée par les forces déployées pour cette arrivée en terre des hommes, je me suis retirée dans mon premier sommeil, y cherchant refuge, oubli, nouvelles forces.

Au réveil, à l'appel de mes besoins, comme tous les bébés du monde, j'ai dû me rendre à l'évidence : j'étais bien incarnée dans ce corps, sur cette terre encore étrangère pour moi, irrémédiablement ancrée dans le temps qui, déjà à l'œuvre, m'imposait ses alternances et son rythme.

Jour, nuit.
Veille, sommeil.
Présence, absence.
Plénitude, manque.
Sourires, cris.
Blanc, noir.
Tic, tac.

J'avais définitivement quitté le pays de l'unité pour celui de la dualité et des contraires.

2

Les tendres années

Tout au long de mes premières années, les forces de vie m'ont poussée à progresser et à grandir pour prendre le chemin de l'autonomie.

Mon corps se développait selon les lois de Dame Nature et obéissait à ce mouvement de vie qui, inéluctablement, après m'avoir fait sortir hors du ventre de ma mère, dirigeait ma croissance. En même temps se construisait mon «moi», c'est-à-dire «cette conviction d'être qui s'accompagne de la faculté de sentir et d'aimer[1]», et mon «je», autre partie de moi-même, ma personnalité, qui pour chacun de nous se développe à partir de la façon dont on se sent vu, perçu, reçu par «l'autre».

Le Temps, ce bâtisseur

Mes parents ont laissé au Temps tout son temps pour que je découvre et que j'intègre chacun des stades de mon développement moteur dans leur ordre chronologique et leur durée. Ils

---

1. Kathleen Kelley-Lainé, *Peter Pan ou l'Enfant triste.*

ne m'ont pas forcée pour que je m'assoie prématurément. Ils ne m'ont pas bousculée, menacée, suggestionnée pour être propre avant le temps nécessaire à la maturation de tout mon système nerveux, c'est-à-dire avant vingt-deux, vingt-quatre mois. Ils n'ont pas succombé davantage à l'attrait d'un youpala[1] qui dénature l'acquisition d'une bonne motricité. Au contraire ils m'ont laissé découvrir, à quatre pattes, mon espace-temps-moteur et aller à la rencontre de ce qui piquait ma curiosité.

Ainsi, pour mon plus grand plaisir, au cours de mes trois premières années ils n'ont que rarement contrarié mon désir de pénétrer dans cette caverne d'Ali Baba que représentait pour moi le contenu des placards de cuisine de ma mère. Ils m'ont permis de me salir pour profiter pleinement de mes découvertes, que j'attrapais, explorais, sélectionnais avec mes mains, mais aussi avec ma «bouche de mains[2]» et ma langue. Tous ces moments d'intense activité m'ont ouvert le monde des formes, des dimensions et des matières. J'ai pu, dans cet espace de liberté, mémoriser de façon non consciente la forme de mes mains, la courbe de mes bras, la position de mon corps par rapport à chaque objet. De cette façon, j'ai acquis une juste notion des volumes et des contours. Ainsi toutes mes découvertes ont exercé mes gestes. Tous mes gestes répétitifs ont consolidé mes apprentissages. Tous mes apprentissages m'ont conduit à la réflexion, ont articulé mon intelligence. Et, au fil des mois de ma prime enfance, grâce à mes parents, je suis devenue une petite fille éveillée, habile de son corps et de ses mains.

---

1. Au Québec, on dit une «marchette».
2. Françoise Dolto, *L'image inconsciente du corps.*

Jean qui rit, Jean qui pleure

Mais, parallèlement à mon développement moteur, ma mère a-t-elle su créer autour de moi un univers «mammaïsé» (terme créé par Françoise Dolto pour bien illustrer l'idée que le bien-être et la sécurité de l'enfant, tout ce qui l'entoure pendant ses premiers mois, voire ses premières années, doit porter l'empreinte de sa mère)? Est-ce ma mère qui, la première, m'a présenté tout nouvel objet pour que je puisse sans danger jouer avec? A-t-elle pris soin de me dire ou de me faire sentir chaque fois qu'elle m'a fait garder que la personne à qui elle me confiait était quelqu'un qu'elle connaissait et en qui elle avait toute confiance? Je me souviens seulement avoir très tôt sucé mon pouce, en gardant tout près de moi un linge imprégné de son odeur, ce qui m'assurait de l'illusion constante de sa présence. Je sais aussi que j'ai eu beaucoup de «mal» à vivre, car ma mère n'était pas cette mère «suffisamment bonne» qui sait entourer de mille et une marques d'affection et de tendresse les besoins de nourriture et de soins corporels de son enfant.

C'est pourquoi, souvent, très souvent, bébé, j'ai crié, j'ai pleuré, j'ai hurlé mon besoin d'être maternée, mais aussi mon désir de communiquer, d'être entendue, d'être entourée. Absente à mes regards, insensible à mes cris, mais où était donc ma mère? Comment pouvait-elle ne pas entendre, ne pas comprendre les appels de détresse que contenaient mes cris, mes pleurs, les dérèglements de mon corps? Une mère présente à son enfant sait reconnaître ces choses-là. Je désirais son attention. Je voulais qu'elle s'occupe de moi, qu'elle ne me traite pas en paquet, qu'elle me touche tendrement, me porte, me caresse, m'éveille aux plaisirs du corps. Je voulais qu'elle m'appelle souvent par mon prénom, qu'elle me sourie, parle à ma petite personne. Je voulais qu'elle se laisse charmer par mes premiers sourires, mes premiers gazouillis. J'aurais aimé qu'elle me berce, qu'elle me chante des rondes enfantines, pour me calmer ou m'endormir. Je voulais sentir simplement que j'étais importante. Je voulais, je voulais tant, à travers elle et grâce à elle, apprivoiser ce tout nouveau monde, être sûre que malgré ma taille et ma fragilité ce monde était bien à mon service et que jamais il ne menacerait ma vie. Lasse et découragée de ne pas être entendue, j'ai fini, peu à peu, par cesser de désirer, sentant en même temps naître en moi ma révolte, une révolte sourde, tenace.

Repliée dans les espaces clos de mon lit, de mon parc, de ma chambre, j'ai couvé ma révolte. Peu à peu elle forgea mon faux je qui telle une seconde peau recouvrit ma vraie nature d'enfant. Je devins irritable, fermée, je devins cette «tête de cochon» qui fit, enfant, ma renommée.

Et pourtant, ma mère m'aimait.

Elle m'aimait, j'en suis sûre, à sa façon, celle de sa mère peut-être, qui la tenait de sa propre mère, qui reproduisait à son tour le modèle de sa mère. Être mère, n'est-ce pas d'une certaine façon «faire comme», faire comme sa mère, ou comme la mère que l'on n'a pas eue et que l'on aurait aimé avoir, ou encore comme celle que l'on pense que l'on devrait être à partir de lectures, de conseils glanés ici et là? Tous ces modèles de mère, présents la plupart du temps inconsciemment en chaque mère, influencent à chaque instant le comportement de celle-ci dans son attitude, son regard face à ses enfants. Je reconnais bien ma mère en moi devant mes propres difficultés à rire, à jouer avec mes enfants et parfois même à les écouter. Dans l'absolu, c'est si difficile d'être une «bonne» mère, qu'une telle mère ne peut exister.

Quant à mon père, avant mes trois ans il me donna parfois du «bon» à vivre. Bébé, je l'aimais passionnément quand il me donnait mon bain, qu'il riait avec moi en me lançant dans les airs et qu'il me rattrapait dans ses larges mains. Je l'aimais quand parfois après son travail il venait me parler, me regarder m'affairer, quand il m'invitait par ses mots à me dépasser, à recommencer, à ne pas avoir peur d'explorer, à oser l'impossible, qui, grâce à sa présence et à son soutien, devenait alors possible. Ma mère m'a raconté que pendant ces trop rares moments j'étais une petite fille gaie, pleine de vie et de témérité.

Mal au cœur, mal au corps

Puis vers trois ans, j'ai eu mal à mon cœur, très très mal, quand mon père a cessé soudainement de me regarder tendrement, de jouer avec moi. Qu'avais-je donc fait? Quelle était ma faute? Pourquoi s'est-il soudainement interdit de m'aimer[1]? Était-ce pour lui dangereux de m'aimer? Que de tourments il m'a fait vivre par la suite. Que de désirs d'en finir avec ce père cruel il a éveillés en moi.

J'ai aussi eu mal à mon corps, qui était crispé de peur chaque fois que je me sentais perdue dans ce milieu familial hostile, incompréhensif, fait de cris, de querelles, d'orages et de coups.

---

1. De fait, écrit Françoise Dolto dans son livre *Au jeu du désir*, il arrive parfois qu'un adulte retrouve dans sa petite fille une double image associée à des émois auxquels il n'a pas renoncé parce que trop douloureux. La réponse à ces émois douloureux se retrouve alors dans des comportements agressifs qu'il ne peut contrôler.

Mon père avait trois ans quand la naissance d'une demi-sœur adultérine l'a délogé de sa place et la lui a fait perdre pour toujours dans le cœur de sa mère, provoquant également une rupture entre ses parents. Il alla alors vivre chez son père.

Lorsqu'il eut six ans, et sa demi-sœur trois ans, son père divorcé se remaria, mais sa nouvelle femme ne voulut pas en avoir la charge. Il devint tragiquement orphelin de père et de mère vivants!

J'entends, je vois, je suis le témoin impuissant des disputes fréquentes de mes parents. Ils étaient si grands et moi si petite. J'avais si peur, peur pour ma mère, peur pour sa vie, peur pour la mienne.

Pourquoi ma mère ne m'a-t-elle jamais expliqué, dans un langage d'adulte, en mots simples, justes, ce qui se passait ? Je n'aurais certes pas compris ses mots de façon intellectuelle, mais ses explications auraient fait écho à mon propre ressenti. J'aurais alors compris que nous vivions la même chose, que nous éprouvions la même peur, la même peine, ce qui m'aurait confirmé son désir de maintenir coûte que coûte un lien entre nous, et c'est ce lien qui m'importait le plus.

Sans l'amour de mon père, sans lien avec ma mère, j'ai voulu me passer de mon père et vivre sans ma mère. J'ai désespérément voulu fuir.

Fuir cet enfer glacé où mon cœur d'enfant était si mal aimé, ou la graine de mon arbre était si mal nourrie. Mais comment faire, quand on est si petite et que l'on ne peut encore se débrouiller toute seule ? Y avait-il un autre choix que celui de Peter Pan qui décida, lui, pour ne plus souffrir de l'absence du «regard» de sa mère, de s'envoler au pays imaginaire du «jamais-jamais» ? Il semble que oui, puisque c'est une autre issue que j'ai choisie :

«Il [l'enfant] s'enfonce en lui-même.
Il se replie, se met en boule, se recroqueville.
Il ramène contre lui ses jambes et ses bras.
Il a repris la position, l'allure d'un fœtus.
Il rejette sa naissance
et le monde.

Il se retrouve, par la posture, au paradis,
prisonnier symbolique du ventre maternel[1]. »

Accroupie, je restais ainsi des heures dans un état quasi catatonique. Mes parents finirent par s'inquiéter. Ils en conclurent que je devais avoir mal au ventre. Erreur de jugement qui se solda par l'usage d'un remède qui contenait par erreur du plomb. Intoxiquée par la présence du plomb, je tombai gravement malade. Je devins rachitique, au point de ne plus pouvoir marcher.

---

1. Frédérick Leboyer, *Pour une naissance sans violence.*

3

Passent les jours,
passe le temps

Barbe-Bleue et sa famille

Avec le temps, et des traitements, les effets nocifs du plomb s'atténuèrent, je réappris à marcher et poursuivis ma croissance, malgré une santé précaire aggravée par les mauvais traitements de mon père qui s'enflammait au moindre désagrément. Je cherchais le plus possible à l'éviter, d'autant qu'il terrorisait tous les enfants de la famille, c'est-à-dire ma sœur aînée, moi, ma sœur cadette, et même ma mère.

Sa haute stature, l'assurance royale qu'il affichait, née de la certitude qu'il n'avait rien à se reprocher, ajoutées à son regard sévère prêt à blâmer, à ses lèvres pincées par un perpétuel sujet de mécontentement dont nous ignorions tous la cause, faisaient de lui un homme respectable, certes, mais aussi terriblement craint dans son milieu de travail et dans sa famille.

Régulièrement, il faisait pleuvoir sur ma sœur aînée et sur moi-même des coups sans raison, ou du moins sans motif

suffisamment grave, pensions-nous, pour justifier de tels châti-
ments[1]. Son regard me glaçait, ses coups m'obligeaient à me taire.
Il coupait tous mes élans, me laissant pleine de bleus et de haine
pour lui. Il voulait que j'obéisse et que je sois sage. Enfant sage,
«enfant-sage»? Voilà bien deux mots qui n'ont rien à faire ensemble! La sagesse n'est-elle pas avant tout une affaire de vieux?

À l'ombre de mon père, ma mère continuait — avec amour
— à veiller à ce que je ne manque de rien. En fait, je manquais
de tout puisque de l'essentiel, c'est-à-dire d'échanges, de marques
d'intérêt envers la fillette que j'étais devenue, de paroles autres
que ses plaintes et ses reproches qu'elle me déversait dès que
j'étais en sa présence.

Prise entre mes deux sœurs, je me trouvais aussi délaissée
par elles qui, compte tenu de leur différence d'âge, vivaient une
tendre complicité dont j'étais exclue. Exclusion renforcée sans
nul doute par mon humeur morose, convaincue que j'étais d'être
laide et mauvaise. En secret, je me sentais jalouse d'elles. Jalouse
de ma sœur aînée pour sa beauté que le regard de mon père
flattait, jalouse aussi de ma plus jeune sœur car son air aimable
lui attirait la tendresse de ma mère. Ah! rivalité fraternelle, quand
tu nous tiens!

Peut-être, à bien y penser, étaient-elles, elles aussi, jalouses
de moi, qui sait? Souvent nous croyons que l'autre, le frère, la
sœur, bénéficie de privilèges particuliers quand nous manquons
nous-même d'amour et d'attention. Il me semble que ma sœur
aînée, aussi maltraitée que moi-même, a longtemps cru que mon

---

1. Je pense qu'il déchargeait simplement sur nous son excès de tension — son stress,
dirions-nous aujourd'hui — mais aussi sa propre difficulté à survivre. Sans doute
croyait-il que pour pouvoir exister il fallait qu'il écrase tous les autres en ayant sur
eux ce contrôle absolu qu'il s'employait à avoir sur lui-même.

état d'enfant malade me donnait accès à des faveurs particulières. Et ma plus jeune sœur, pourtant mieux aimée et mieux protégée que moi, envia-t-elle en secret mon tempérament créateur?

Enfant dressé n'est pas élevé

Dans ce climat familial où la météo signalait souvent des orages, trop souvent des tempêtes, annonçait parfois un ciel dégagé avec passages nuageux, trop rarement la perspective d'un beau temps persistant, je consolidais laborieusement mes apprentissages.

Ce temps de latence de six à douze ans, qui sollicite tant les parents pour qu'ils accompagnent leurs enfants vers le «nouveau», ce temps qui aurait pu être si riche en découvertes, était pour nous très pauvre en humanité et en compagnie. Pas d'explications, pas d'éveil au savoir, pas de partage, peu de rencontres avec d'autres fillettes du même âge. Nous étions, ma sœur aînée et moi-même, non pas élevées mais dressées avec des «arrêtez... tenez-vous tranquilles... taisez-vous... imbéciles... incapables...», peut-être dans l'espoir que, telles des chiennes, nous finirions un jour par obéir au maître, au doigt et à l'œil.

Ce temps fut aussi pour moi synonyme d'ennui. Maison, école, visite dominicale chez mes grands-parents, là se résumait tout mon univers. Quand l'ennui devenait trop fort et que l'on s'en plaignait, notre grand-père nous renvoyait en nous apostrophant avec cette phrase qui fit le tour de la famille : «Vous vous ennuyez? Alors, grattez-vous les genoux!»

Aussi, je passais beaucoup de temps repliée sur moi-même, à réfléchir. Je cherchais dans ma tête et dans mon cœur à répondre seule à tous mes «pourquoi», et nombreux étaient ceux qui restaient sans réponse.

À vous dirai-je, maman, l'un de mes nombreux tourments?

À ces âges, ai-je joué? Peu, si jouer veut dire, comme le pensent beaucoup d'adultes, laisser les enfants s'affairer à des choses futiles, totalement inutiles, qui les tiennent occupés. Par contre, je jouais souvent à la poupée, en ne la câlinant pas, en ne la prenant pas dans mes bras, en ne lui parlant pas avec tendresse. Dans mes jeux, je la grondais, jamais je ne la consolais. Très jeune, vers l'âge de six ans, je créais des vêtements pour elle, que je confectionnais comme ma mère confectionnait les nôtres. Suffisamment habile pour me servir de sa vieille machine à coudre, je cherchais à faire aussi bien qu'elle.

En cela, je l'imitais aussi.

Et, dans l'imitation des gestes maternels, quand je cousais, par exemple, je me «re-liais» à elle. Communication à distance, à la recherche d'un plaisir commun ressenti par elle, «ré-éprouvé» par moi. Je trouvais là le moyen de ne pas me sentir coupée d'elle. Ma poupée, cadeau de ma mère, était pour moi, sans que j'en sois consciente, le «bon» objet transitionnel que j'avais investi de l'amour d'une mère et d'un père pour moi. De plus, les vêtements que je créais pour elle me donnaient du «bon» à vivre, car je pouvais, à travers eux, me sentir «bonne» à quelque chose[1] et donc m'aimer un peu.

Chaque fois que j'étais satisfaite d'un nouveau modèle, j'en parais ma poupée et l'exposais, triomphante, sur le buffet de la cuisine, à la vue du «monde». Aucun commentaire de la part de

---

1. Cette poupée, je l'ai longtemps crue animée, dotée d'intelligence et de cœur. En fait, elle était la seule avec qui je pouvais dialoguer. À l'âge adulte, elle m'a suivie dans tous mes voyages, sur toutes mes terres d'exil, jusqu'au jour où j'ai pu tolérer les manques affectifs de mon enfance.

mes parents ou de mes sœurs ne venait jamais saluer mes réalisations. Après quelques jours, quand la poussière commençait à s'accumuler sur elle, je reprenais ma poupée et, toutes deux cruellement blessées par tant d'indifférence, nous partions nous réfugier dans une pièce du sous-sol où se trouvait la machine à coudre. Là je confiais à ma poupée que, décidément, je n'étais qu'«une bonne à rien» puisque ce que je faisais n'était pas remarqué par mes proches. Jugement insupportable envers moi-même, qui chaque fois me marquait au fer rouge.

Pourtant l'attitude des membres de ma famille n'entamait que passagèrement mon ardeur à faire; mon «quand même» refaisait surface et après un temps plus ou moins long je confectionnais de nouvelles robes. En fait je continuais seule, sans soutien, à «faire» pour «me faire», en pensant rageusement : «Si vous ne vous intéressez pas à ce que je fais, alors ne vous avisez pas de m'empêcher de faire, sinon…» Piètre compensation à l'indifférence de ma mère, de mon père, de mes sœurs.

En vérité, chaque fois j'espérais. J'espérais un signe qui me montrerait qu'ils m'aimaient, que ce que je faisais était bien, qu'ils voyaient que j'avais du plaisir à le faire. J'attendais le regard qui me confirmerait que j'existais à leurs yeux. J'attendais les paroles qui me feraient sortir de mon isolement, effaceraient cette rancœur, ce mal-être permanent que je sentais au fond de moi.

En attendant, j'étais cette enfant triste, insoumise, qui désirait être triste, rester triste, sans joie, espérant bravement que ma mine forcerait bien un jour mes parents à se tourner vers moi, à s'inquiéter, à se demander pourquoi j'étais si fermée, si irritable, pourquoi j'avais cet air si malheureux. J'espérais aussi, secrètement mais en vain, pouvoir, par mon attitude, gâcher les plaisirs de mes sœurs.

L'âme sœur

Plus tard, à l'âge adulte, imaginez ma surprise et ma fascination quand, lors d'une exposition au Musée d'Art moderne de Paris sur «Les Singuliers de l'Art», une artiste avait écrit sur une banderole cette phrase en rouge et en gros caractères :

LAISSEZ-MOI FAIRE QUE JE ME FASSE

Incroyable : je n'avais pas été la seule à crier, à exiger, à réclamer ce droit à «faire» pour «se faire», ce qui, chez moi, masquait, bien pathétiquement, cette demande d'enfant qui voulait qu'on la regarde faire, qu'on l'encourage à faire, qu'on l'aide à se faire. J'en pleurai.

Bien des années plus tard, alors que j'étais en train de «faire» encore pour me défaire de ce mal à ma vie, je compris, en revivant ce souvenir, pourquoi je n'accordais aucune valeur sociale et mercantile à mes œuvres que j'exposais pourtant à Paris et à l'étranger, pourquoi les jours de mes propres vernissages étaient jours de supplice, mais aussi pourquoi j'étais capable de balayer tous les obstacles pour pouvoir à travers mille gestes créateurs continuer à me mettre dans le «voir».

Le grand absent de mon enfance

Le grand absent de mon enfance fut sans nul doute ce regard, car c'est dans le regard de «l'autre», mais surtout dans le regard de ses parents que l'enfant sait si les gestes qu'il fait, les paroles qu'il dit, l'attitude qu'il a sont bien ou mal, bons ou mauvais pour lui. Ce regard significatif, qui inclut dans un même temps les paroles, l'expression du visage, l'attitude corporelle de l'adulte, m'a fait cruellement défaut. Ce manque chaque fois ressenti après chacune de mes tentatives, ajouté aux coups de mon père sur ma tête d'enfant, qui m'humiliaient, me reniaient, m'obligeant à ne pas me vivre afin de ne pas être battue, ajouté au vide affectif de ma mère, a eu raison de ma ténacité. Je décidais à mon tour de réagir : j'avais justement l'âge de raison pour le faire !

Les cadeaux empoisonnés

À l'âge de raison, nous avons tous de bonnes raisons de nous servir de ces nouveaux et nombreux personnages que la raison nous offre et qui peuvent nous aider à régenter et à protéger nos vies. Ces personnages s'installent en nous et, avec le temps, consolident à loisir leur pouvoir.

Quatre d'entre eux évaluent le monde, nos actes et ceux de nos proches : le *rationalisateur* cherche avec délectation à faire naître tous nos pourquoi ; l'*analyseur* s'efforce de ne rien oublier dans ses analyses ; le *justificateur* justifie son existence en répondant «parce que» à tous nos pourquoi ; et le *douteur* se nourrit de nos «mais» pour s'infiltrer, l'air de rien, dans toutes nos réflexions et retarder nos décisions.

Par ailleurs, le *protecteur-régisseur* décide, pour que l'enfant qui a été réprimé et mal aimé ne soit plus blessé par les grands, de veiller sur lui. Pour cela, il se fait aider par quatre valets très efficaces, toujours prêts à lui rendre service. L'*activiste* nous tient toujours occupé et travaille main dans la main avec le *perfectionniste*. Le *critique intérieur* assiste le perfectionniste et a pour tâche de démolir toute initiative, toute spontanéité suceptibles de nous laisser à découvert. Le quatrième, le *gentil,* le plus redoutable à mon avis, n'hésite pas à nous sacrifier si cela est nécessaire pour que nous ayons l'illusion d'être apprécié et aimé de tout le monde.

Œil pour œil, dent pour dent

C'est ainsi que vers l'âge de onze, douze ans, ne pouvant me résoudre à être gentille, soumise et parfaite pour me faire aimer, j'ai mis sur la glace le *douteur* et prêté une oreille attentive à l'*analyseur*, au *justificateur* et au *rationalisateur* pour qu'ils m'aident à prendre la décision qui s'imposait. Sous leur pression et leurs conseils je décidais, pour ne plus souffrir, de me couper définitivement de ma famille.

Il est des «moments décisifs dans une existence, ceux au cours desquels tout peut basculer[1]». Ce moment fut un de ceux-là.

À partir de ce jour, j'ai considéré tous les membres de ma famille comme des étrangers. À mon tour, je ne les ai plus regardés, plus aimés et ne leur parlais que pour le nécessaire. Ma chambre était devenue, dans ma tête, une chambre d'hôtel où rien d'intime ne traînait. Apparemment indifférente à tout, je ne criais plus, ne pleurais plus, sauf quand je sentais mon tout jeune arbre trop menacé. Là, un feu intérieur m'embrasait, me rendant indomptable.

Je ne pris pas conscience combien cette décision m'imposait d'efforts journaliers pour ne plus aimer. En me coupant de mes parents, de ma famille, de mes sentiments, je me coupais aussi de moi-même, car en ne les aimant plus je ne pouvais pas davantage m'aimer. Je me jugeais méchante pour avoir osé adopter une telle mesure de rétorsion. Je dus me rendre à l'évidence : j'étais bel et bien une mauvais graine de fille. Ainsi, jour après jour, je me mutilais un peu plus. Mon corps tout entier criait ma souffrance, les foyers d'infection dans mes sinus, dans

---

1. Kathleen Kelley-Lainé, *Peter Pan ou l'Enfant triste.*

mes poumons se multipliaient. Ils étaient la réponse de mon corps à ma «ré-action» en même temps que son appel à mes parents. Personne, pas même moi, n'entendit ses nombreux signaux de détresse.

J'avais aussi, sans le vouloir, atteint mon arbre. Coupé de ses racines terrestres, il était privé de terre et de soleil. Comment, dans de telles conditions, pouvait-il continuer à grandir? Son cas n'était cependant pas totalement désespéré, car je lui donnais en cachette l'air et l'eau dont il avait besoin pour survivre. Cet air, cette eau, je les trouvais dans une pièce du sous-sol que je m'étais appropriée pour faire mes devoirs. À l'écart de tous, volon- tairement emmurée dans cette pièce close, je continuais à créer mais je ne montrais plus rien. J'y vivais libre, repliée sur moi- même, ressentant parfois, grâce à l'acte créateur, un vrai bonheur, un intense plaisir.

Mon pain quotidien

Ainsi en était-il chaque fois que je choisissais de faire quel- que chose avec mes mains, chaque fois que je laissais libre cours à l'expression de mon désir d'explorer, de créer pour échapper au triste quotidien de ma vie. Dans ces instants privilégiés où j'étais absorbée à faire quelque chose de nouveau, un dialogue s'établissait avec une partie de moi, inconnue et familière à la fois. Alors, je ne me sentais plus seule; au contraire, la solitude était, dans ces instants, chérie. Elle me rendait extrêmement sensible à la qualité de l'air qui m'enveloppait, au visible et à l'invisible. Mes doigts palpaient au-delà de la matière l'im- palpable et avec délice je me sentais vibrée, animée, vivante. J'étais dans mon univers, dans une matrice qui me nourrissait, me calmait, me consolait. Personne d'autre que moi ne savait qu'elle existait. Elle m'appartenait, elle était à moi, et je me promis que jamais personne ne parviendrait à la détruire.

Une définition du bonheur

Le bonheur, je l'ai en vérité senti très tôt m'habiter, dans cette sorte d'exigence qui me poussait à créer, à chercher à me dépasser. Il s'exprimait dans la toute-puissance de l'acte créateur. Loin des coups de mon père et de l'indifférence de ma mère, mon désir de créer manifestait, dans ce nouvel espace où je me retrouvais, toute sa vitalité. Mes élans le portaient, ma confiance en mes mains lui était indispensable. Ma nature passionnée, sublimée dans mon «faire», trouvait grâce aux montées de sève de mon arbre des idées personnelles. Dans cet univers enchanteur de la création, je rayonnais, oubliant totalement les désagréments de mon milieu familial. Il me semblait que cet autre monde était sans limites; qu'il suffisait tout simplement de décider de commencer à faire. J'éprouvais alors, dans ces moments-là, ce sentiment d'omnipotence qui m'avait tant fait défaut à ma naissance. De plus, pendant ces instants d'intense concentration où ma pensée se tournait entièrement vers mes mains pour assembler des morceaux de tissu ou d'autres matières en un tout inédit, j'avais le sentiment d'être guidée de l'intérieur par quelque chose à quoi je me sentais étrangement obéir. Toutes ces perceptions, toute cette magie me donnaient l'appétit de vivre, la force de persévérer, même si la réalisation de certains projets s'avérait difficile.

La création, en plus, sans que je m'en rende compte, m'orientait dans mes choix, me laissait prendre des risques, réfléchir sur l'impossible. Grâce à elle, j'établissais mes références internes du beau et du laid. Elle m'éduquait. Elle m'apprit aussi à être sincère envers moi-même, à ne jamais me mentir pour ne pas fausser mon regard intérieur, substitut du regard parental, qui m'était nécessaire pour évaluer mon travail, pour m'encourager à poursuivre, surtout quand le cœur me manquait.

Pouvais-je espérer meilleur maître ?

Je vivais tout cela quand mes mains touchaient la matière, s'agitaient pour créer. Moments pleins, heureux, de mon enfance.

Rebelle et créatrice, voilà ce que je devenais.

4

Le temps suspendu

Le complexe du homard[1]

Plus tout à fait enfant, pas encore tout à fait adulte, vers quatorze ans, j'entrais dans ce temps si particulier qu'est l'adolescence. Temps suspendu, comme en attente de devenir. Perturbée par les modifications hormonales dues à ma puberté, encombrée d'un corps qui commençait à prendre forme adulte, doutant même parfois que ce corps puisse être le mien, je me regardais, me cherchais, m'évaluais. Je le ressentais comme un tout assez efficace, assez cohérent, mais pas du tout important et m'appartenant plus ou moins en propre. En regard de la beauté de ma sœur aînée dont mon père était si fier, j'étais bien peu de chose. Je n'échappais pas aux complexes fréquents à cet âge. D'ailleurs, la représentation corporelle que j'avais de moi-même était assez proche de celle d'un animal sauvage, famélique, après une nuit d'orage. Je me trouvais maigre, insignifiante. Les signes extérieurs de ma féminité que mon corps commençait à afficher me semblaient aussi sans attraits. Je n'étais d'ailleurs pas du tout mécontente d'avoir tout, ou presque tout, du garçon manqué,

---

1. Titre d'un livre de Françoise Dolto sur l'adolescence.

pensant de la sorte échapper encore pour un temps à mon appartenance à cette catégorie sociale que l'on nomme la Femme, si méprisée, si dévalorisée dans la société dans laquelle je vivais et dont ma mère au sein de notre famille était un vivant exemple. L'enfant-fille blessée était maintenant une toute jeune femme blessée. Cette blessure à ma féminité, ce n'était pas seulement mon père qui me l'avait faite à ma naissance, ni le modèle que représentait ma mère, mais la Terre des hommes tout entière dans la mesure où j'étais et savais que je serais toujours blessée, tant et aussi longtemps que quelque part sur cette planète une femme peut être achetée et même valoir moins que le prix d'une vache, fût-elle sacrée! Aussi, au seuil de ma vie d'adulte, cette blessure atavique, cette marque F, indélébile, complétait mon faux moi qui refusait de sentir pour ne pas prendre le risque de devoir aimer, et mon faux je, agressif parce que révolté, provocant parce que mécontent, passionné parce que vivant.

Les quatre personnages raisonnables, alias ma raison, ont fait à cette époque un retour en force. Ils tentaient de gouverner mes pulsions en cherchant à éteindre mon feu intérieur qui, ardemment, me faisait souhaiter quitter au plus tôt la maison paternelle. Pour retarder ma décision, ils me démontraient avec facilité à quel point j'étais démunie face au monde social qui m'attendait. Ils me prêchaient la patience et la valeur du compromis tout en me démontrant la nécessité d'acquérir une profession pour que je sois, disaient-ils, mieux armée dans la vie. Ils me vantaient aussi la sécurité que ce toit familial représentait alors que je voulais le quitter. Raison-pulsion, j'étais en plein conflit intérieur. Conflit que traverse tout adolescent et que je croyais être la seule à vivre.

Le coup de grâce

C'est donc d'un pas très incertain, plus par raison que par passion, que je choisis d'entreprendre, après mes études collégiales, des études universitaires. Incapable d'apprendre ce savoir qui ne s'adressait qu'à ma tête, j'étudiais peu. En fait, je passais mon temps à ne rien faire, ne sachant ni où, ni quoi, ni comment faire quelque chose avec cette adolescente que j'étais. C'est pourquoi je ne me faisais aucune illusion quant aux résultats de l'examen qui sanctionnait la première année universitaire. Mon échec allait de soi. L'incapacité que je sentais au fond de moi de m'adapter à un travail ou de poursuivre des études pour m'insérer dans la société me tourmentait plus encore. Mon avenir n'était pas incertain, il était tout simplement bouché.

Le jour des résultats, mon père vint avec moi consulter la liste des reçus. Il accueillit la nouvelle de mon échec universitaire sans un mot. Le rictus de ses lèvres ne présageait cependant rien de bon. Dès notre retour à la maison, il me suivit dans la cuisine. Dans mon dos, je sentais sa colère contenue, prête à exploser. Alors que je me retournais vers lui pour lui faire face, l'expression malveillante de son visage me fit reculer de quelques pas à la recherche de l'appui d'un mur. Tous les coups qu'il s'efforçait de retenir, compte tenu de mon âge, se concentrèrent sur un doigt qu'il pointa vers moi comme pour me jeter un sort. Il me cria : «Regarde-toi, tu n'es rien, moins que rien; tu ne seras jamais capable de rien. Tu es zéro.»

La terre se déroba une nouvelle fois sous mes pieds, comme lors du désintérêt de mon père dans le jardin public quand j'avais trois ans; ce que je croyais depuis toujours venait de m'être dit. Collée au mur de la cuisine, j'étais terrassée, annulée, et pourtant, alors que je me sentais défaillir, une force intérieure jaillit du bas de mes reins, monta le long de ma colonne vertébrale. Pareille à une tige d'acier, elle me permit de me maintenir debout, d'affronter ce face-à-face terrifiant.

Je regardai mon père droit dans les yeux et, la gorge serrée, je m'entendis lui répondre : «Tu as sans doute raison, je ne suis rien, moins que rien; zéro, dis-tu? Eh bien soit, je ne puis descendre plus bas, alors je ne peux que remonter, et je vais remonter. De cela, j'en suis sûre.»

Je ne sais ce qui, de mes mots ou de mon attitude intérieure, ou de ses propres mots, lui fit baisser les yeux, le détourner de moi et partir sans gloire. Il venait une nouvelle fois, comme le jour de ma naissance, de perdre la face.

Glacée, tremblant des pieds à la tête, je me sentis, encore une fois, en réel danger. Quant à mon arbre, il était altéré, épuisé par l'effort fourni pour me garder debout. Son état de tristesse, logé dans mes branches pulmonaires, s'en trouva augmenté. Son chagrin était immense. Il se déversait dans mes larmes, qui s'écoulaient chaque fois que, par hasard, plus tard dans ma vie, quelqu'un le regardait, l'écoutait, l'aimait. Quelques-unes de ses branches pétrifiées sont restées jusqu'à ce jour, malgré tous mes efforts, accrochées à ce coin de cuisine, aux paroles de mon père qui avaient failli l'abattre à jamais.

La fuite au pays de l'oubli

Fuir. Fuir ce père qui, par son verbe, a voulu me tuer. Cette fois, je choisis de suivre Peter Pan au pays du «jamais-jamais», pays de l'oubli, pour effacer jusqu'au souvenir d'avoir eu des parents. Je changeai de pays, de langue, de nom, m'adaptant au plus vite à la terre étrangère où je venais de trouver refuge. Cette rupture totale avec le monde que j'avais connu, et surtout avec mon passé, fut pour moi un grand soulagement.

Le temps était donc à l'oubli. Durant le jour, je m'y appliquais beaucoup. La nuit, cependant, je rêvais souvent d'ogres, de Gestapo, d'enfants sans défense jamais sûrs de leur abri.

Le besoin de se dépasser, le désir d'être accompagné

Tous les pères ne sont pas aussi destructeurs et colériques que le mien. Mais j'ai rencontré beaucoup de parents qui se sentent démunis face à leur adolescent et devant les choix qu'ils se doivent de faire. Ils adoptent souvent face à lui une attitude moralisatrice en donnant de bons conseils avec des : «Tu devrais…», «il faudrait que…» ou bien ils se posent en modèle : «Si j'étais à ta place…» D'autres encore n'hésitent pas à faire pour lui une dernière démarche pour son «bien», pour lui épargner le «pire», pensent-ils, et, si cela s'avère inefficace, souvent ils rejoignent le peloton des parents répressifs, qui donnent au jeune une dernière chance, posent un dernier ultimatum : «Choisis, décide, agis, sinon… Deviens un homme, enfin quoi!»

Face à tous ces «bons» sentiments, aux pressions et aux menaces dont il est l'objet, l'adolescent prend-il soin d'écouter cette voix amie au fond de lui qui lui dit :

«Passe, passe le temps, rien n'est irrémédiable à ton âge. Rien n'est définitivement perdu. Il n'est peut-être pas encore temps… Il faut bien que jeunesse se passe. Envole-toi de ce nid familial, pour te trouver et chanter ton propre chant. Obéis à tes pulsions, satisfais tes désirs car la force de l'Éros qui te vitalise est en toi, là, à son zénith. Elle est en tout temps disponible, pour que tu t'éveilles à ton être, à ta vraie Nature. Même si tes actes te semblent parfois aller à contre-courant de ce que tu devrais raisonnablement faire, ose, transgresse, expérimente. Pose-toi des défis loin du regard de tes parents.

«S'il est juste et bon que tu t'exaltes dans des passions de tous ordres — amoureuses, musicales, religieuses et même professionnelles — qui t'invitent toutes à te dépasser, prends garde de ne pas t'identifier à elles, car tu peux t'y perdre, ou derrière elles te cacher, ce qui t'empêchera de te connaître vraiment.»

J'imagine. J'imagine que j'aurais aimé que mon père soit cette voix amie, qui me dise sa confiance en moi, en mes capacités, sa fierté que je sois une fille, et *sa* fille. J'aurais aimé me sentir libre, débarrassée de ses attentes et de ses préjugés, pour choisir sans aucun doute possible mon chemin. J'aurais aimé être acceptée pour mes différences. J'aurais voulu tout simplement le sentir là, présent, supportant, aimant. S'il l'avait fait, s'il m'avait acceptée et s'il me l'avait montré, je n'aurais pas mis tout ce temps pour me reconnaître, pour accepter la personne que je suis vraiment et que j'ai mis tant de temps à rencontrer.

Sur le seuil de la maison familiale, au moment des adieux, à l'instant de mon envol, ma mère ne m'a rien dit. Comme d'habitude. Je me suis quand même fait croire que je l'entendais me dire : «Pars, mais reviens, je t'attends, ne t'inquiète pas; je garderai en tout temps mes yeux posés sur toi.»

Sans l'attention de quelqu'un, où trouver le courage et la témérité nécessaires pour s'envoler hors du nid?

Paroles de Mère, support de Père que j'aurais aimé porter en moi pour avoir la certitude que je réussirais mon envol et pouvoir avec confiance entrer dans le jeu de la vie, de ma vie que je voulais gagner à tout prix.

Leur chant les a quittés

J'ai connu des adolescents qui ont réussi leur envol. Mais d'autres sont restés, les ailes repliées, dans le nid parental ou dans un autre, tout semblable au premier. Ils n'en bougent pas, ils n'y chantent pas. Par manque de confiance, par manque d'autonomie, par peur du lendemain. Leurs vies se banalisent dans le monde du paraître où ils investissent toutes leurs énergies. Dans leurs cocons, bien chauffés, bien assurés, ils rêvent parfois d'un jour où ils seront «quelqu'un». Un quelqu'un connu et riche, comme ces gens célèbres auxquels parfois ils s'identifient en devenant leurs *groupies*. À pas feutrés, sans conscience, ils vivent comme endormis en passant tout simplement à côté de leur vraie nature qu'ils ne connaîtront peut-être jamais.

Tout naturellement, dans leur vie rythmée seulement par leur temps biologique, ils en arrivent à croire que le seul but à atteindre dans cette vie-ci est d'être roi ou reine du royaume de la famille qu'ils s'empressent de fonder. À cela, ils ajoutent la visite dominicale à leur famille, qu'ils instaurent comme un culte. Avec fierté ils ajoutent parfois plusieurs feuilles, plusieurs fruits à leur arbre généalogique, sans prendre conscience que c'est leur arbre intérieur qui a besoin de croître et de fleurir.

Ainsi, en apparence, dans ce monde des apparences, ils se conforment aux traditions de leur famille, aux règlements de leur travail et au mode de vie de leur société. En acceptant toutes sortes de compromis, ils étouffent leurs pulsions, leurs désirs secrets sources de vie et de savoir sur eux-mêmes qui s'accumulent sans jamais pouvoir s'exprimer. Refoulées, parfois même sauvagement réprimées par eux-mêmes ou par leur environnement, ces pulsions créent à l'intérieur d'eux-mêmes un foyer de violence qui soit projette ses flammes à l'extérieur sous une forme de violence destructrice, soit se retourne contre eux en force autodestructrice.

Le besoin de se confronter

Dans de telles conditions de vie, j'ai remarqué que, pour rester «suffisamment» sains de corps et d'esprit, certains, par exemple, trouvent un moyen de libérer leur trop-plein d'énergie réfrénée en se défonçant dans le sport. D'autres se regroupent en bandes pour se confronter à des bandes rivales. En écoutant des témoignages d'adolescents et de jeunes adultes qui appartiennent à de telles bandes, j'ai noté qu'ensemble, fondus dans un anonymat relatif, ils se sentent moins vulnérables, moins identifiables pour transgresser, avec un plaisir évident, l'interdit de la loi de non-agression envers autrui. Tel ce jeune adulte qui, en semaine, était bon employé, bon père de famille, mais qui à l'occasion d'un match de football cherchait avec ses copains à se battre pour éprouver ce *thrill*, ce *feeling*, qui, disait-il, mettait du piquant dans sa vie. Le jeu consistait d'abord à passer à travers les maillons d'une police vigilante, puis à choisir de préférence un membre isolé de la bande adverse pour le violenter dans un corps à corps pas toujours loyal, de préférence à tous contre un.

Cette escalade à la violence gratuite que l'on retrouve dans d'autres manifestations de jeunes, par exemple dans les bizutages de certaines écoles, révèle chez tous ces jeunes un désir maladroit, mais impérieux, de se mesurer, de savoir de quoi ils sont réellement capables face à une épreuve qui comporte des risques. À bien y regarder, on y retrouve presque tous les ingrédients d'une épreuve initiatique. J'écris «presque» car le sens profond de l'épreuve en est absent. En fait, ce ne sont là qu'épreuves initiatiques dénaturées.

Une démarche sacrée

Autrefois, les sociétés primitives et les religions imposaient aux adolescents un rite de passage pour entrer dans le monde des adultes. Ce passage d'une matrice à une autre, matrice familiale puis sociale, comportait une grande épreuve. Deuxième grande épreuve, après celle de la naissance, sur la route de leur devenir. Cette épreuve comportait des risques, certes, mais elle était à la mesure des capacités physiques et psychiques que tout adolescent pouvait tolérer et assumer. Elle se déroulait à l'intérieur d'un rituel bien précis, orchestré par un maître de cérémonie qui en était l'âme dirigeante. Le temps de l'épreuve était alors temps sacré car, à dessein, l'épreuve avait pour fonction d'obliger l'adolescent à confronter sa Nature à celle de l'épreuve et à ses règlements ; d'autre part, elle lui offrait l'occasion de prendre contact avec cette «chose» innommable qu'il ressentait en lui-même et qui l'aidait à avoir foi en ses forces, en son courage, pour vaincre sa peur et réussir l'épreuve. L'existence de cette partie de lui qui semblait le rendre invincible, une fois éprouvée, lui rappelait ensuite toute sa vie combien l'Homme peut être grand par ses victoires mais qu'il serait bien petit sans elle.

C'est cette prise de conscience qu'apporte toute épreuve initiatique à l'adolescent et qui l'ouvre à la dimension spirituelle de sa vie, en le mettant en contact avec la juste place du pouvoir de l'homme, à la fois dans son monde terrestre et dans le monde cosmique.

L'initiation des jeunes filles était différente dans ce type de société, où la femme n'accédait jamais à une totale autonomie et n'avait par conséquent pas les mêmes raisons de tester son courage et sa force physique pour assumer par elle-même sa place dans la société. De plus, toute femme fait l'expérience de sa soumission et de sa dépendance envers les lois de Dame Nature, qui se charge de le lui rappeler régulièrement à travers ses cycles menstruels et le «mystère» des naissances.

Merci la vie

D'une certaine façon, à l'aube de ma propre entrée dans la société pour gagner ma vie, la confrontation avec mon père fut mon épreuve initiatique. Une épreuve initiatique dévoyée, j'en conviens, mais qui fut terriblement efficace. Elle m'a fait connaître la peur, la vraie. J'ai senti mon courage, mais aussi la présence de cette «chose», mon arbre, qui m'a permis de rester debout. À partir de ce jour j'ai su que coûte que coûte, envers et contre tout il me tiendrait, me soutiendrait, me maintiendrait toujours debout. Que mon père en soit d'une certaine manière remercié.

Par la suite, comment ai-je échappé à l'illusion des paradis artificiels ou au monde de la prostitution? Je ne sais, car je cumulais tous les symptômes qui poussent une adolescente à se réfugier dans ces autres pays de l'oubli et de l'argent facilement gagné. À bien y réfléchir, je serais tentée de remercier la vieille machine à coudre de ma mère, qui m'a permis, tout au long de mon enfance, de coudre ensemble tous mes morceaux. J'ai pu ainsi garder attachées à mon arbre ses multiples feuilles, les belles et les moins belles, en un feuillage touffu qui fit plus tard ma richesse. Ainsi, cette «chose» que j'avais déjà contactée pendant toutes ces heures de couture, d'isolement, de solitude sans savoir la nommer m'avait fait pressentir que je n'étais pas uniquement la fille de mes parents mais que j'étais aussi «quelqu'un» d'autre, d'unique comme l'est chaque arbre, pourtant si semblable aux autres arbres à l'intérieur de son essence. Je savais avec certitude que cette partie de moi devait être honorée et non galvaudée ou détruite. Peut-être un jour, qui sait? aurais-je à lui demander sa main en ces termes : «Moi, fille de mes parents, j'ai l'honneur de demander en mariage cet "autre" moi-même.»

5

Le temps court

À Londres où je m'étais réfugiée, ma santé ne s'accommodait guère du climat anglais. Après deux ans sur cette terre d'exil, je fus obligée de la quitter. J'atterris à Paris. Compte tenu de mes revenus bien précaires, je me mis à la recherche d'un hypothétique emploi. Me sachant socialement inadaptée et sans qualification professionnelle, mon cœur l'espérait mais ma raison en doutait. Paradoxalement, alors que j'étais inquiète quant aux résultats de mes démarches dans ce monde du travail, j'étais à la fête. Avec émerveillement, je découvrais, en marchant dans les rues de Paris, l'art, l'architecture, la singularité de chaque quartier ainsi que le rythme de vie parisien.

Inculte mais assoiffée de culture depuis toujours, j'étais avide de tout voir, tout toucher, tout goûter. Je passais des heures dans les musées, dans les jardins, dans les cafés. Lors d'une exposition d'Henry Moore, au Jardin des Tuileries, sans que j'y pris garde, je ressentis de nouveau cette émotion particulière faite du désir de créer. Elle m'envahit tout entière. Je ne pouvais la repousser. Mes mains se mirent à manifester leur désir de travailler la terre par tonnes. Terre que je ne pouvais encore leur donner. En attendant, assise sur un banc, entourée de toutes ces œuvres d'art, j'imaginais, j'anticipais le plaisir de voir de telles sculptures jaillir de mes doigts comme autant de réponses à mon désir de me sentir revivre, ré-exister à travers un geste créateur.

Le retour du déserteur

Après quelques essais infructueux dans le monde du travail, le Temps finit par organiser mon retour dans le monde de la création, que j'avais déserté depuis mon enfance. J'emménageai dans un atelier situé en plein cœur de Paris, au fond d'un «passage parisien». Là, en retrait, loin des bruits de la ville, ma matrice se reconstituait. Je me mis à travailler, non pas la terre comme je l'avais espéré, mais des fils, toutes sortes de fils. Je créais des tissus pour la mode, ainsi que des vêtements pour des boutiques de luxe. Mes mains caressaient habilement la matière. Mes mains dansaient. Mes mains me parlaient, mes mains tissaient et cousaient. Puis ces fils devinrent cordes, cordages colorés, encollés, enchevêtrés, œuvres murales.

Comme ces nouvelles créations devenaient de plus en plus complexes, et prenaient de plus en plus de place et de temps, un jeune homme vint m'aider à les réaliser. Dans un face-à-face homme-femme tout à fait symbolique, en silence, nous avons travaillé des jours et des jours, le temps ne se comptait plus. Moi, je donnais le mouvement, choisissais la forme, la texture, lui préparait les matières, consolidait chaque longueur réalisée et fabriquait les structures nécessaires à chaque pièce. Il m'apportait l'appui, la force, l'habileté dont j'avais besoin et en plus la certitude, que je lisais dans ses yeux, qu'il croyait en moi.

À tâtons, en aveugle, ignorante de tout apprentissage artistique, je n'avais d'autre recours que de m'alimenter à la sève de mon arbre, source des gestes créateurs de mon enfance. Source chaude, substitut de liquide maternel qui nourrissait mes idées personnelles qui prenaient forme à partir de mes gestes spontanés. L'ébauche de tout nouveau projet me rendait euphorique, le temps de réalisation m'apaisait, le dévoilement de l'œuvre finie donnait sens à ma vie. Source capricieuse que cette sève; parfois je la trouvais, souvent elle m'échappait. Elle m'échappait surtout quand je voulais la maîtriser, l'orienter, pour pouvoir revendiquer la pleine paternité et maternité de mes productions. Toute tentative en ce sens se soldait par un échec, ce qui me donnait le triste sentiment d'usurper le nom d'artiste. Ainsi, par son alternance de présence et d'absence, la sève de mon arbre me menait la vie dure en m'obligeant à admettre que mes meilleures créations se faisaient en quelque sorte sans moi. Impossible de la maîtriser; aussi, souvent lasse et découragée, après avoir tout essayé de ce que je pensais devoir faire pour contrôler de A à Z un nouveau projet pour pouvoir le nommer mien, je laissais mes mains s'animer sans exigence, mes pensées vagabonder sans fil directeur et là, sans raison, hors de toute logique, de toute science, de toute conscience, ma sève avait le culot de se mettre à couler entre mes mains, organisant pour moi mes plus belles murales :

Équilibre,
Désir d'envol
Pierre gravée en attente de nom
Empreinte fossilisée
Pays de mes labours
Terre stérile...

autant de titres d'œuvres, autant de manifestations de mes espoirs, de ma réalité aussi.

Le désir aliéné

À cette époque, ayant peu de besoins, ne cherchant pas vraiment à entrer en relation plus qu'il n'était nécessaire avec les différents milieux parisiens, coupée la plupart du temps des nouvelles du reste de la planète, je m'affairais surtout à produire pour que «l'autre», la société, accorde valeur à mes créations, pour qu'enfin on me reconnaisse et que je puisse à mon tour me sentir «quelqu'un».

Par ailleurs je ne me posais pas beaucoup de questions sur cette société dans laquelle je vivais qui, subtilement, nous aliénait tous, qui que nous fussions. En prenant le relais parental, ce n'était plus aux désirs des parents que nous devions nous conformer, mais aux besoins de cette société, qui nous poussait à consommer pour assurer sa prospérité.

Habilement, elle avait l'art de nous séduire en transformant nos désirs en «besoins». Pour cela, elle se jouait de nous en s'adressant avant tout à notre regard. Ce regard dans lequel tout se lit, que la moindre émotion anime mais qui devient aussi très vite indifférent à tout, même à l'horreur. Elle savait, en permanence, le solliciter, soit par les messages publicitaires, soit par l'arrivée à profusion sur le marché de nouveaux biens de consommation. Si notre regard montrait des signes de désintérêt ou de lassitude, un style inattendu de publicité, un marketing plus agressif le captait de nouveau. Bien vite, nous étions convaincus de la nécessité d'un nouvel achat ou de la valeur d'un certain mode de vie.

L'illusion du bonheur

Pris dans cette société, certains d'entre nous arrivaient même à croire que le regard de «l'autre» les valorisait, eux et leurs sacrifices, quand ils parvenaient à atteindre et à conserver un niveau de vie plus que confortable. Le progrès semblait sans limite, notre droit à tout posséder allait de soi. Aussi, le désir dans les yeux, l'avidité dans le cœur, nous étions à la recherche de ce bien-être que l'on nous promettait toujours pour demain. Aisance, confort, argent rimaient dans nos têtes avec bonheur. Bonheur maquillé aux couleurs du rêve américain qui, pendant tout ce siècle, fut porteur de tant d'espoirs. Tout y semblait plus beau, plus grand, plus facile, plus fort qu'ailleurs.

Envahie par les biens de consommation, dominée par la dictature des médias, cette société qui, d'elle-même, s'est nommée société de consommation, était alors en plein essor. En nous dispensant en fait de choisir, de réfléchir, de vouloir, elle endormait nos consciences, nous laissant, nous ses adeptes, comme engourdis dans une fausse quiétude. Paradoxalement, nous étions engagés dans une course folle au divertissement, au sens pascalien du terme. En effet, pour satisfaire notre envie de «tout avoir», qu'elle savait si bien susciter, et que nous confondions avec notre désir de «nous avoir», c'est-à-dire de nous connaître et de nous réaliser, nous courions après le temps, après l'argent, à la surface du monde et des choses. Nous courions aussi et surtout après nos vies. Nos vies, que ce rythme d'enfer contribuait efficacement à nous faire perdre de vue, car ces faux désirs, étant sans contrôle, sans réflexion, nous faisaient oublier notre condition d'homme dont la vie, quoi que l'on fasse, se terminera de toute façon par la mort. Mort qu'il nous faut regarder, reconnaître pour comprendre le sens de nos vies. Mort que cette société commençait à prendre soin de farder et de cacher, pour pouvoir mieux nous duper.

Comme des somnambules, nous avancions, et continuons encore aujourdhui à avancer, sans conscience, exposés au moindre faux pas. Parfois, un événement imprévu nous fait trébucher ou tomber. On réalise alors que cette société que nous avons mise en place nous tient en esclavage en nous faisant tout simplement vivre une démoniaque illusion de puissance, de possession et de jouissance. Toujours d'actualité, le mal social, né de cette illusion, se retrouve chez beaucoup d'entre nous au quotidien, dans un mal-être qui nous épuise et nous ronge, nous rendant confus sur le sens de nos vies. Ne sachant qui blâmer, livrés à nous-mêmes dans un face-à-face souvent stérile, nous cherchons, mais en vain, des solutions miracle à tous nos problèmes. Solutions qui tardent cependant à venir. Que faire alors ? Comment vivre ? Qu'est-ce que vivre ? Ces questions nous prennent par surprise, nous laissant désemparés, désenchantés, désillusionnés. Une rupture à l'intérieur de nous est à craindre. Elle arrive… Elle est là. Elle nous propulse, sans que nous y prenions garde, dans un «temps d'arrêt», temps d'épreuve.

6

Le temps d'arrêt

Enfant, je suis souvent restée perplexe devant les si longs sommeils infligés aux princesses de nos contes, pour avoir osé désobéir. La Belle au bois dormant s'endormit pour cent ans, après s'être piqué le doigt avec une quenouille en allant dans une partie interdite du château. Blanche-Neige, elle, tomba dans un profond sommeil pour avoir mordu, à pleines dents, dans la belle pomme rouge de la méchante sorcière. Mais toutes deux furent réveillées par le baiser d'un prince charmant. Puis, «ils vécurent heureux et ils eurent beaucoup d'enfants».

De toute évidence, ce sommeil infligé aux princesses était une punition. Mais, à mon avis, une bien douce punition, puisqu'elles n'étaient qu'endormies, anesthésiées en quelque sorte. Ne pouvant trouver dans ma tête d'enfant les raisons d'un châtiment si clément, je laissai l'affaire en suspens et sortis de l'enfance sans avoir résolu l'énigme.

Le baiser d'un prince charmant

Un jour, bien des années plus tard, dans le cadre de mon travail actuel, alors que j'animais un groupe de formation, je fus surprise de m'entendre demander aux participants et participantes quel était le «baiser d'amour» qui avait éveillé leur conscience, celui qui avait changé leur regard sur leur vie. Pendant leur temps de réflexion, ma propre question m'interpella et je pris conscience que, pour me tirer de mon profond sommeil, plusieurs de ces baisers me furent tour à tour nécessaires. Chacun me précipita dans des ténèbres de plus en plus profondes, pour me faire renaître à des niveaux de conscience chaque fois plus éclairés.

Mon tout premier baiser fut celui de la passion pour un prince, l'interdit transgressé, le baiser de ce prince. En voici l'histoire.

Il était mon prince, il était charmant. Pourquoi, avant même de recevoir ce baiser, ai-je su qu'il serait décisif pour ma vie? Nous étions tous deux jeunes, beaux, artistes. J'étais devenue une jeune femme libre, émancipée, dont le seul souci était de créer.

Pendant quatre années, j'ai rusé pour ne jamais avoir à vivre un seul moment d'intimité avec mon prince. Je savais avec une certitude absolue que ce baiser me ferait perdre le contrôle de ma vie. Un jour, pourtant, j'ai choisi le baiser… Je basculai dans la passion. Pendant trois mois, j'ai conjugué le verbe aimer à tous les temps. Puis un contrat à l'étranger le tira loin de moi; il emporta avec lui une partie de ma peau.

Aucune de ses promesses de retour ne calma ma chair à vif. Je déraisonnais. Mes pensées entièrement tournées vers lui déréglaient le temps. Les jours, les nuits n'étaient plus que temps à tuer. J'étais hors moi, hors temps. Je n'étais qu'attente. Attente vide, inoccupée, douloureuse. Les heures, les minutes n'en finissaient plus de se compter. Les plus longues étaient celles qui précédaient l'arrivée du facteur, que je guettais, partagée entre l'espoir d'une hypothétique lettre et la crainte d'une boîte aux lettres vide. Je cherchais aussi à comprendre comment moi, si raisonnable, à l'habitude si maîtresse de moi-même, je pouvais me trouver là, piégée par ce sentiment d'amour tendu jusqu'à la démesure. Une nuit, «j'entendis» la voix enfantine de cette petite fille que je fus, privée d'attention et d'amour, qui le réclamait, lui, ce père, ce frère, cet amant, lui, ce tendre complément.

«Besoin irrecevable, dépendance inacceptable», lui répondit à l'intérieur de moi mon faux moi qui décida, avant le retour de mon amant, de me défaire de ce lien, de passer outre, de me faire enjamber cet amour pour que je ne tombe pas en terre inconnue.

Il m'interdit de l'aimer — c'est si dangereux d'aimer, croyait-il —, et mon cœur ne put revivre.

Très peu de temps après, un autre baiser tout aussi violent arrêta cette fois-là mes mains : je compris dans un éclair de conscience que les immenses murales que je créais n'étaient en fait que l'appel de l'adolescente à son père. Rien jamais ne serait suffisamment grand, suffisamment beau pour lui faire voir qu'elle valait quelque chose, qu'elle n'était pas un zéro, qu'elle était digne d'être *sa* fille.

«Non, non et non, c'est insensé de penser que ma motivation profonde puisse être celle-là. Arrête!» me cria à son tour mon faux je.

Mes mains, dans une dernière mise en forme, exprimèrent un cri, que je détruisis. Je cessai de créer et ne pus désormais me sentir exister.

Mon corps se mit à marcher au ralenti. Chaque pas me coûtait. Souvent, essoufflée, je restais tétanisée, effondrée sur le bord d'un trottoir. Je ne fis aucun lien entre l'état de mon corps et les réponses faites à chacun de ces baisers d'amour chargés de m'éveiller. Au contraire je me suis empressée de trouver, auprès d'oreilles complaisantes, mille causes extérieures pouvant justifier les nouveaux dérèglements de mon corps.

Celui-ci m'obligea cependant à entrer dans le «rien».

Le rien

Comment parler du «rien», cet état particulier que nous traversons tous quand tout s'écroule, quand nous remettons tout en question?

On n'est rien. On ne sait plus rien. On n'a envie de rien. On ne fait rien.

Et surtout, on ne se reconnaît plus. C'est le temps des questions, des remises en question, des *grandes* questions. C'est *la* question : «Mais enfin, qui suis-je?»

Cette personne qui nous interroge n'est plus celle d'hier qui régentait nos vies et nous faisait marcher à l'envers comme endormi au pays du jamais-jamais, c'est-à-dire du «plus jamais ça», du «jamais plus souffrir pour ça». Elle est l'inconnue à découvrir, princesse de sang royal garant de notre vraie nature, de notre vrai moi, de notre vrai je. Sa recherche nous conduit sur le chemin de notre marche à l'endroit, sa rencontre nous permet d'y marcher.

À chacune des étapes de ce pèlerinage intérieur, nous pouvons décider de poser nos bagages et de ne pas aller plus loin.

Nous pouvons choisir de rester à quai. Nous nous organisons alors comme ci comme ça une vie pleine de devoirs, de fatalités et de hasards, ponctuée de : «Je dois faire ceci.» «Il faut que je fasse cela.» «Ce n'est pas de ma faute si…» «Il n'y a qu'à moi que ces choses-là arrivent.»

On accepte tout, puisque, de toute façon, «on n'y peut rien».

Dans ce «rien» que l'on aménage au mieux, on laisse sa vie se consumer à petit feu et, avec elle, s'éteindre le désir de vivre. Bien vite, une maladie, une dépression ou une séparation vient nous donner un petit coup de main, en devenant notre «raison-suicide» de vivre. Raison-suicide que cette croyance qui prend forme et force en nous et qui nous pousse à croire que nous attrapons nos maladies sans raison, que notre état dépressif, notre épuisement chronique va de soi, que nous n'y pouvons rien, qu'il n'y a rien à faire, et que les épreuves qui frappent les innocentes victimes que nous sommes ne sont que l'œuvre d'un implacable et incontournable destin.

La déroute

C'est l'état d'esprit que j'avais quand, désœuvrée, isolée, repliée dans ma maison, plongée dans ce temps d'arrêt, je faisais face à mon faux moi, à mon corps et au diagnostic des sommités médicales que j'avais consultées et qui m'avaient avoué ne pas savoir quoi faire pour soulager l'état de tension qui en permanence tétanisait mon corps et aggravait sérieusement l'état de mes poumons.

Ainsi, ce corps, qui au lieu de se plier aux désirs et aux besoins de mon faux moi et à mon faux je comme il l'avait jusqu'ici toujours fait, commandait maintenant en refusant d'avancer et par là même exigeait que l'on compose avec lui. En effet, mon dynamisme ajouté à l'apparence physique, plutôt flatteuse, de mon corps m'avait permis de cacher presque toujours aux yeux des autres la maladie dont je souffrais et d'afficher aussi — avec un certain panache que me donnaient mon allure désinvolte et un maquillage excessif — une assurance, une confiance inébranlable aux êtres et en la vie que j'étais loin de posséder. Camouflage savamment agencé qui avait jusqu'à présent marché au point qu'il m'arrivait souvent de croire que j'étais vraiment cette personne-là.

Assise sur mon lit, je ressentais la cruauté de l'échec de cette stratégie mise en place pour que je ne souffre plus émotionnellement, et je la ressentais d'autant plus fortement que personne autour de moi ne savait comment m'aider à me remettre sur pied et en avant.

Mais voilà, c'est justement quand les «autres» autour de nous ne savent plus comment nous venir en aide que l'on commence à savoir!

Ainsi, après bien des batailles, le cœur gros, j'acceptais ma déroute. Je me vis glisser jour après jour un peu plus dans le «rien-faire», le «rien-penser», le «rien-savoir» et le «rien-vouloir». Plus de projets, plus de sens à ma vie, plus d'idée sur la vie. Inexorablement, j'allais à la recherche de ce qu'il reste de soi quand, à ses propres yeux, on se voit comme un «rien». Recherche pénible, ponctuée de larmes sur fond de désespoir. Pour cela, j'ai dû quitter, un à un, tous les rôles que mon faux je s'était attribué. Par exemple, dans ma vie de famille, je continuais à m'occuper de mon fils, né quatre ans plus tôt, mais je ne jouais plus à la mère parfaite. Je restais au foyer, mais n'essayais plus de me conformer ni à l'amante ni à la femme que je pensais qu'il fallait que je sois. D'un trait, je rayais l'image d'amie compréhensive

70

et sans problèmes, forgée avec effort au fil des années. Pour faciliter cette tâche, je mis un terme à toute rencontre sociale ou amicale. J'étais résolue à jeter une à une au panier toutes les étiquettes accolées à mon nom. Mais l'étiquette la plus difficile à détacher fut, sans nul doute, celle d'artiste. Je devais néanmoins me résoudre à m'en défaire, car là me semblait être le prix à payer pour me trouver et savoir qui j'étais et ce que je valais vraiment.

Pour que ma décision soit effective et irréversible, il me fallait confesser à mon mari, cet «autre» symbolisant tous les «autres», que l'inactivité de mes mains ne serait pas passagère, que plus jamais je ne toucherais à un seul fil, que je n'étais et ne serais jamais plus une artiste. Au début, il ne voulut pas entendre, cherchant à repousser loin de moi cette décision qu'il savait capable de me «blesser à mort». J'insistais cependant pour qu'il prenne ma résolution au sérieux, pour qu'il soit le témoin de mon renoncement. Renoncement d'autant plus douloureux qu'il advenait au moment où le succès de mon travail laissait présager une carrière prometteuse.

Une fois cette dernière étiquette arrachée, je me suis senti horriblement vide et merveilleusement libre. Ainsi est la vie, mêlant en un même instant nos sentiments les plus contraires.

Plus tard je compris que, dans ce face-à-face, je venais d'affronter mon premier monstre sur la route de mon devenir. En rejetant ma fierté d'être une artiste, je venais de débouter mon égo, épris de puissance, de prestige et de vouloir. Il entraîna dans sa chute ma volonté qui le servait. Mon arbre souffrait, comme moi, beaucoup. Nous courbions tous deux l'échine sous le poids de ce «rien» qui me coupait de tout espoir de me réaliser. Ainsi, arrêtée dans le «faire», je me sentais comme une infirme amputée de ses membres.

Quelques mois plus tard, une singulière rencontre apporta à mon arbre et à moi-même nos plus beaux rayons de soleil. Est-ce le désir de saisir une réalité inaccessible à la raison et à ses pouvoirs qui me sensibilisa à cette rencontre? Ou me suis-je simplement ouverte à son amitié pour combler le vide, ô combien douloureux, laissé par l'absence de création? Peu importe, car, entre ce vieil homme en mal d'attention et cette jeune femme déboussolée que j'étais, cette rencontre était, je crois, prédestinée.

Rencontre avec un chevalier mémorable

Sa tête, auréolée de cheveux blancs, son port royal, son allure noble, son regard franc, son grand âge figuraient pour moi un de ces chevaliers de légende. Il me dit aimer mon tempérament de feu; je n'osais lui avouer combien sa posture et l'éclat de son regard me donnaient espoir. Assise non loin de lui, dans l'ivresse des parfums de son merveilleux jardin, je m'exaltais. Ensemble, nous ne refaisions pas le monde mais cherchions, à travers la vie des saints et des mystiques, à percer le plus grand des mystères : celui de la mort, celui de la vie, celui de la vie après la mort. Saint Jean de la Croix et sainte Thérèse d'Ávila étaient nos favoris. Le destin hors du commun de sainte Thérèse d'Ávila, qui avait su, malgré une santé précaire, stimuler la foi à travers tout le royaume d'Espagne, ouvrant ici et là plusieurs carmels, me fascinait.

J'étais sensible à la foi de cet homme dont, avec infiniment d'humilité, il témoignait. C'est à lui que je posai pour la première fois l'épineuse question de l'existence de Dieu. Question qui, jusque-là, ne m'avait jamais parue essentielle et à laquelle, d'ailleurs, il me répugnait de penser, ne pouvant accepter l'idée de m'en remettre à son hypothétique présence pour justifier le sens que je pourrais trouver à mon existence.

Inlassablement pourtant, j'aimais questionner mon ami sur ses croyances, sur les lectures qui pouvaient les éclairer à mes yeux et sur ses expériences de vie qu'avec plaisir et humour il me contait. Au-delà de nos intérêts communs, il y avait aussi nos regards qui, à notre insu, trahissaient une souffrance commune, celle de ne pas être reconnu en tant que personne, moi par mon père, lui par ses filles. C'est ainsi qu'ensemble, unis par la même sensibilité, nous répondions tels des enfants, avec des si, des pourquoi pas, à nos désirs, à nos espoirs, à nos rêves les plus secrets.

Et je crus au hasard qui mit sur ma route, quelques mois plus tard, cette approche corporelle qui allait si bien aider mon corps à se défaire de ses tensions. Tensions provoquées par les réponses faites par mon faux moi et mon faux je aux baisers d'amour chargés de les débouter.

Maison, jardin, séance de travail corporel, d'un univers clos à un autre, je me mis à aller et venir, à courir l'aventure, non celle du dehors mais celle du dedans. Peu à peu je m'ouvris à ma vraie Nature, à mon corps, à mon arbre. Sans vraiment en être consciente, j'étais bel et bien engagée sur un nouveau chemin, auquel je n'aurais jamais, auparavant, «raisonnablement» pensé.

Mon arbre, soulagé de me savoir en de si bonnes mains, relevait enfin la tête, plein d'espoir.

DEUXIÈME PARTIE

Le corps reconnu

La connaissance est un mariage, une union du connu et du connaissant. La connaissance est amour.

Annick de Souzenelle,
Le symbolisme du corps humain.

7

Du nouveau à la portée de soi

Pour s'ouvrir à ce travail corporel que l'on met entre paren-
thèses dans l'agenda de nos vies, il faut croire à la garantie d'un
mieux-être à venir. En toute bonne foi j'espérais, grâce à
l'antigymnastique[1], améliorer mon corps physique encore à mille
lieues, pour moi, de ma vie psychique. Corps-esprit, dualité bien
apprise qui me permettait d'envisager avec espoir le temps futur
où mon corps, libéré de ses tensions, pourrait de nouveau fonctionner comme avant; naïve que j'étais, de croire qu'un retour
au temps d'avant «mes baisers» était possible.

Très tôt, compte tenu de l'isolement non apparent dont
j'avais souffert enfant, j'avais appris à diriger toute seule ma vie
en ne sachant jamais vraiment ce que je voulais, mais en affir-
mant très fort ce que je ne voulais pas. C'est pourquoi, pour ce

---

1. Approche corporelle créée par Thérèse Bertherat, auteur du livre *Le corps a ses
raisons*. Elle nomma cette approche antigymnastique car c'est une gymnastique que
l'on fait sans sueur, sans esprit de compétition et dont les exercices ne sont ni
répétitifs ni dénués de conscience corporelle.

retour vers la santé que j'espérais gagner par la pratique de cette approche corporelle, je ne voulais pas d'un lieu trop vaste, trop bruyant, trop sombre. Je ne voulais pas faire partie d'un groupe trop nombreux et, surtout, je ne voulais pas être dirigée par quelqu'un de trop protecteur, de trop maternel, de trop amical, de trop intrusif. Je me sentais par conséquent très nerveuse et méfiante face à ces choix.

J'ai cherché plusieurs adresses, essayé plusieurs endroits que l'on me recommandait. Intuitivement j'ai choisi de me retrouver dans la salle de cours de Sylvie B. Dès notre première rencontre, je m'y suis sentie à mon aise. J'ai aimé sa salle de cours à l'écart des bruits de la rue et l'atmosphère chaleureuse qui y régnait. J'ai été sensible à la simplicité de sa présence, au climat de confiance qu'elle savait créer entre elle et les participants à ses cours. La qualité d'écoute qu'elle avait pour chacun d'eux était ce qu'il me fallait pour pouvoir, loin de toute menace, dans l'anonymat de ses groupes, déposer auprès d'elle mon corps si mal en point. J'ai accepté d'être regardée et guidée par elle et l'ai laissée, tel un laboureur, tracer dans ma Terre-corps ses sillons afin qu'elle y sème pas à pas la conscience de mes axes, de mes os, de mes muscles et de ma peau.

Premiers lâcher-prise

Au début des séances, soit debout soit couchés, dans un corps immobile ou en mouvement, nous prenions conscience de nos zones de tensions, de notre posture, du rythme et de l'amplitude de notre respiration.

Voici comment, par exemple, elle nous invitait à observer l'état général de notre corps, allongés sur le sol :

Laissez vos yeux se fermer, se reposer
dans le fond des orbites...
laissez vos mâchoires se relâcher...
la langue se décoller pour sentir l'arrière du cou
se détendre... le souffle descendre...

Sentez la surface et l'emplacement des points
d'appui du corps sur le sol : l'appui de la tête...
du dos... du bassin... des jambes... l'appui des pieds...
ainsi que les différences d'appui
de l'ensemble du côté gauche et du côté droit...

Observez l'amplitude et le rythme de votre respiration...
et, tout en suivant le souffle, prenez le temps de sentir
les diverses sensations et perceptions
qui émergent de l'ensemble de votre corps.

Ces observations établissaient une rupture souhaitable entre nos activités quotidiennes et le temps à venir d'un travail corporel plus profond. De plus, elles avaient sur moi l'effet que procure un profond bâillement qui, par la détente qu'il provoque, nous rend disponible pour accueillir toute chose nouvelle. D'une voix calme, avec des mots justes et précis, Sylvie poursuivait la séance en orientant toujours notre regard vers notre dedans pour nous faire sentir que, loin d'être des vides à remplir, nous étions des pleins à découvrir et que le corps pouvait aussi être langage en nous révélant des vérités sur nous-mêmes dont nous ne sommes pas toujours conscients. Elle ajoutait à cela que notre meilleur outil de travail pour cette démarche que nous avions choisi d'entreprendre était, avant toute chose, notre propre qualité de présence à nous-mêmes. Présence que ce couple de mots, «présence-absence», qualifie de façon juste. Présence à soi par l'attention que l'on porte à son corps pendant toute la durée de chaque séance, mais présence absente de tout jugement sur soi. Jugement si prompt à nous assaillir à partir de la moindre observation.

Pour ma part je trouvais cette introspection très exigeante parce que narcissiquement blessante. Selon moi, il n'est facile pour personne de donner régulièrement rendez-vous à son corps, pour constater que l'on respire peu, que l'on repose au sol sur la pointe de ses omoplates, que la courbe de ses reins et de sa nuque font souffrir et que l'ensemble de son corps est un bloc sous tension. De plus je me méfiais de ces exercices que l'on m'avait dit capables de faire remonter à notre conscience les mauvais souvenirs du passé. Aussi ce nouveau regard, ce changement d'attitude que prônait Sylvie et qui favorise l'ouverture à l'esprit du corps fut, au début, pour moi, loin d'aller de soi car je voulais simplement me soigner sans vraiment me transformer et surtout je ne voulais ni vivre ni exprimer des émotions que je jugeais déplacées dans un tel lieu. Redoutant d'être prise au dépourvu, je veillais soigneusement à refouler tout émoi en n'accordant à chaque cours que le droit d'être un baume pour mes douleurs. J'allais donc apparemment «avec» cette approche en m'appliquant à bien faire ces exercices, mais j'allais surtout méthodiquement «contre» en ne m'y engageant jamais profondément, c'est-à-dire jamais avec la totalité de mon être. Cette attitude plus que réservée que volontairement je m'imposais vis-à-vis de ce travail ne me permettait par conséquent aucun réel lâcher-prise. Je subissais en fait le même douloureux dilemme que celui de mes muscles qui résistaient chaque fois que j'essayais de les étirer. Le temps d'étirement finissait parfois par avoir raison de leurs résistances. Plusieurs mois de ce travail corporel me furent nécessaires pour avoir raison des miennes et c'est à partir de mille et une expériences corporelles que j'ai fini par réaliser que cette opposition, cette dichotomie corps-esprit que j'essayais de maintenir était un frein à la libération de mes tensions et que l'on ne peut consciemment toucher au corps sans éveiller l'esprit du corps.

Le temps du corps

Pour mon plus grand plaisir, la gamme quasi illimitée des exercices enlevait toute monotonie aux séances. Cela fixait mon intérêt et m'empêchait aussi de m'enfermer dans une gestuelle stéréotypée qui aurait permis à mon esprit indiscipliné de vaga-bonder et de me dissocier de ce que mon corps vivait. Toutefois j'étais dérangée par le rythme lent des séances, pressée que j'étais d'aller mieux, et au plus vite, pour passer à demain. Et c'est parce que mon corps ne se rétablissait pas à la vitesse que j'escomp-tais que j'ai dû me résigner à cesser de vouloir avec impatience que mon «problème» soit réglé. De bonne guerre, j'ai fini par ne plus attendre d'être déjà à demain, ce qui eut pour conséquence immédiate de me faire vivre, en prenant tout «mon» temps, au présent.

Ce temps présent que je sentais là, allongée au sol, comme étant mien, me semblait se modeler sur un rythme bien étranger à la course du temps imposée par nos montres. Je le vivais comme un temps épais, charnel, dont la durée fluctuait selon mes humeurs et ma capacité à être présente à moi-même. J'appris à le découvrir en le laissant devenir temps-moteur de mes mouvements, qu'il rythmait comme il rythmait, sans que j'en sois consciente, le mouvement de mes organes. Je notais, par exemple, les diffé-rences de temps accordé à chaque phase de tout mouvement. L'aller plus lent et majestueux, le retour plus prompt, plus saccadé, suivi d'un temps d'arrêt, temps de rebond, qui précède toute nouvelle séquence. Temps de rebond indispensable car il donne au mouvement l'harmonie qui le différencie du geste robotique, mécanique qui heurte le temps du corps et fatigue l'organisme. Le respect de ce temps associé au mouvement m'incitait aussi à «faire autrement», c'est-à-dire avec conscience, ces exercices qui n'avaient rien de mystique ou de mystérieux et dont la plupart étaient d'une simplicité déroutante. Ce temps propre à soi, je le sentais aussi habiter mes silences et mon immobilité quand Sylvie nous invitait entre chaque exercice à prendre un temps de repos. Il pulsait alors dans mes veines comme pour me signifier son tempo. L'écoute de ce temps associé à la respiration qui lui servait de support et lui donnait son rythme m'apaisait, m'aidait à me détendre, me redonnait confiance.

Ce temps particulier que je décidais d'accorder à mon corps plusieurs fois par semaine, je m'y sentais aussi tenue, encouragée par mon arbre qui soulevait en moi des vagues d'enthousiasme chaque fois que mon corps parvenait à se détendre et que ma santé s'améliorait. Il me manifestait ainsi, je crois, sa confiance en ma capacité à tirer mon corps de son état souffrant. L'autre avantage non négligeable de ma présence assidue aux séances était de pouvoir me déconnecter pour un temps de cet autre présent plein d'incertitude que je retrouvais à la sortie de chaque cours.

Corps qui respire a ce qu'il désire

Je me souviens aussi combien la prise de conscience de ma respiration, la vigilance dont il fallait faire preuve pour s'assurer de sa fluidité tout au long d'un cours, soulevait en moi de résistances. Ce n'était pas que je ne savais pas respirer; non, mon attitude envers ma respiration était plus radicale : je ne voulais pas qu'elle se manifeste. Entendez par là que son très mince filet, qu'inconsciemment j'entretenais pour me tenir à la vie, était pour moi nettement suffisant car ma respiration devait déranger le

moins possible les zones de turbulence de mes bronches infec-
tées que tout courant d'air risquait d'agiter. J'acceptais diffici-
lement, pendant les cours, d'être mise en demeure de constater
mon insuffisance respiratoire ainsi que l'encombrement de mes
poumons. Mais surtout j'éprouvais de la honte, face au groupe,
à ne pouvoir masquer plus longtemps la maladie dont je souffrais.
C'est donc avec mauvaise grâce que je m'imposais un nouveau
rythme respiratoire, un souffle plus long, en me conformant aux
directives de Sylvie. J'exprimais mon ressentiment envers cette
incontournable nécessité de souffler en clamant à haute voix à
qui voulait l'entendre que ce travail corporel aurait pu être parfait
si l'on ne nous demandait pas constamment de ne pas bloquer la
respiration, de rester le plus possible en contact avec elle et de
souffler profondément pendant tout effort musculaire. Mais les
rapides bienfaits d'une meilleure oxygénation me rendirent très
vite plus docile. De plus, les réponses de Sylvie à mes interrogations sur un bon fonctionnement respiratoire et la vision d'un
tissu pulmonaire sain m'encouragèrent à m'occuper des parties
saines de mes propres poumons pour améliorer leur état général.
Cela me prit tout de même trois longues années avant de ressentir
un jour, en marchant dans la rue, le besoin de respirer dans mon
dos, sur les côtés, en haut, en bas, comme j'avais appris à le faire,
pour me défaire d'un surcroît de tensions qui m'oppressaient. Le
résultat de cette pratique au quotidien fut si spectaculaire qu'il
me remplit le cœur de joie et me donna l'envie irrésistible de crier
à la tête du premier passant venu : «Je respire, je respire!» pour
témoigner de cette victoire acquise.

Apprivoiser son second souffle

Aujourd'hui, dans les cours que je donne, je me sens toujours complice de ceux qui pensent ne pas savoir respirer, de ceux
qui croient qu'ils oublient de le faire, et qui s'appliquent à le faire,

de ceux enfin qui s'efforcent d'être de bons élèves en obéissant, sans habiter leur corps, aux consignes que je donne.

Pour qu'une fluidité respiratoire s'installe et que se rétablisse un bon fonctionnement physiologique, je m'éloigne le plus possible d'un dressage volontaire, d'un canevas de travail rigide, étayé d'un savoir exclusivement physiologique. Je préfère ruser pour permettre à chacun de s'en approcher. Je n'hésite pas pour cela à inventer des jeux, à évoquer des images, à me servir de différents accessoires ou à proposer un travail de visualisation proche de celui qui suit pour que chaque participant, libéré du désir de «bien» faire, laisse la respiration se faire.

(Allongé au sol, jambes fléchies, nuque longue.)

Inspirez...
Inspirez en sentant l'air monter dans vos narines,
vers le sommet du crâne... puis expirez comme
pour faire de la buée, bouche entrouverte,
mâchoires décrispées, langue décollée du palais.

Inspirez... expirez...
Sentez avec vos mains placées de chaque côté
à l'avant du corps, à la hauteur de vos côtes basses,
la descente de ces côtes à l'expiration, en même temps
que la course de votre souffle.

Inspirez... expirez...
Faites le vide de vos pensées et visualisez votre
arbre pulmonaire... et plus simplement un arbre
avec son tronc... ses branches... et ses feuilles...

Inspirez...
suspendez pour un temps votre inspiration afin
de parfaire l'ouverture de chaque branche,

de chaque feuille... puis expirez profondément pour mieux les remplir à la prochaine inspiration.

Inspirez... expirez...
Visualisez la libre circulation de l'air qui se rend jusqu'à chaque feuille à travers le tronc, les branches...

Expérimentez la dilatation de chaque feuille... associez-la à chaque alvéole pulmonaire qui participe au mouvement de la vie.

Inspirez... expirez...
Devenez ce mouvement qui vous ouvre et vous referme dans un rythme qui est le vôtre et qui vous régénère.

Inspirez... expirez...
Respectez à la fin de l'expiration un temps d'arrêt, temps de rebond, qui fera naître en vous le désir impératif de vous ouvrir, de vous remplir de nouveau.

Inspirez... expirez...
Inspirez... expirez... Encore et encore. Donnez à votre arbre toute la place, vivez pleinement le rythme qui l'anime et laissez-vous devenir peu à peu ce mouvement qui vous vitalise et vous révèle à vous-même.

Il existe une infinité d'exercices qui peuvent s'ajouter à celui-ci pour entrer en contact avec les caprices, les insuffisances, les blocages que la respiration révèle, mais qui peuvent aussi, de façon concomitante, éveiller en soi la confiance en sa capacité à bien respirer. L'intégration des bons mécanismes automatiques de la respiration au repos et en dynamique va se faire lentement. Il est à souhaiter qu'avec le temps cette «bonne» respiration redevienne inconsciente pour la bonne santé de chacun, mais en conservant l'acquis de pouvoir à loisir jouer avec elle afin de s'en servir à d'autres fin que la ventilation. Si à cette rééducation respiratoire s'ajoutent des prises de conscience profondes sur ce qui entrave l'apprentissage de ce second souffle, chacun peut alors être amené à expérimenter, une fois sa fluidité respiratoire retrouvée, combien le souffle de vie peut nous aider à nous détendre et à nous contacter quand la cage thoracique est libérée.

Ce fut le cas de Monique qui dès le premier cours prit conscience de son thorax figé qui limitait sa respiration et maintenait son cœur prisonnier. Elle vécut pendant plusieurs mois de pratique corporelle l'impossibilité de laisser couler son souffle sans saccades. Un travail sur sa psyché, qu'elle entreprit parallèlement à son travail sur son corps, lui fit comprendre les raisons qui maintenaient sa cage bloquée. Elle put alors profiter pleinement de son souffle enfin libéré, ce qui l'aida à «laisser aller» le passé et à ouvrir son cœur.

Le corps se rencontre

Accepter de se mettre à l'écoute de soi, de son temps propre, de son souffle, pour parcourir ce trajet de reconnaissance du corps que nul ne peut faire à notre place, c'est instaurer, malgré soi, l'amorce d'une rencontre avec le corps-sujet que nous sommes. Un corps bien différent de cet autre corps véhiculé dans les magazines et autres médias et auquel il nous est suggéré à grand frais de publicité de ressembler. Le corps-objet parfait qui nous est montré, est-ce un modèle à acheter? Pourquoi? Pour «bien» paraître? Pour échapper aux ravages du temps? Pour être admirés? aimés? enfin aimés? Pour continuer à être aimés? Mais comment peut-on aimer un corps figé dans une forme apprêtée, arrêté dans le temps? Autrefois je me moquais, je jugeais ces femmes qui se laissaient séduire par tous les procédés draconiens pour y parvenir. Je ne me rendais pas compte que cette névrose de perfection pour l'apparence du corps n'était pas loin de l'indifférence avec laquelle j'avais jusqu'ici regardé le mien. Le parfait désintérêt que j'affichais pour lui, ce regard pressé qui me faisait toujours choisir distraitement les vêtements dont je le couvrais, provenaient en fait de la même origine : la non-acceptation de soi qui découle du non-amour pour soi.

En prenant conscience à chaque séance de ce qui animait mon corps, je me suis mise à penser que loin d'être, comme je l'avais cru jusqu'ici, l'ennemi qu'il me fallait ignorer, il pouvait peut-être devenir mon allié. Mon corps, mon moi et mon je finiraient-ils un jour par transformer leur conflit ouvert en un travail d'équipe ? Allaient-ils me donner ce mieux-être que je recherchais ? L'espérance d'un tel règlement de comptes m'incita plus que toute autre chose à cultiver en moi, à chacun de nos rendez-vous, cette nouvelle attitude faite de respect et d'écoute envers lui. Par exemple, je n'hésitais pas à réajuster avec précision une balle pour que l'exercice soit plus efficace, à choisir de travailler avec tel accessoire plutôt qu'avec tel autre. Je n'oubliais pas de replacer sous ma tête un coussin pour plus de confort. Et, si je sentais une plus grande paresse à suivre l'enchaînement d'un exercice, je m'accordais un temps de repos plus long. C'est ainsi qu'au fil des semaines, se sentant plus détendu parce que mieux entendu, mon corps me remit en contact avec mon «vrai moi» et sa capacité ô combien grande de sentir et d'aimer. Il me fit sentir qu'il pouvait être autre chose qu'un corps malade en me reliant de nouveau à ce monde extérieur et intérieur que j'avais l'impression de ne plus habiter depuis que j'étais dans le «rien».

En dehors des cours, notre début de réconciliation me redonna l'envie de jouir des saveurs de la vie, du réveil de mes sens, et m'aida à accepter mon «rien à faire» en respirant, pourquoi pas ? à pleins poumons.

8

À la redécouverte
d'un sens sous-estimé

Un organe des sens hors du commun

De tous les organes des sens, la peau est le plus complexe et le plus riche. Cette peau qui enveloppe et recouvre le corps tout entier est aussi, de par sa nature et ses multiples fonctions, l'organe le plus indispensable à la vie, comme le souligne Diane Ackerman dans son ouvrage *Le livre des sens* : la peau «respire, excrète, nous protège contre les rayons nocifs et l'assaut des microbes, produit la vitamine D, nous isole de la chaleur et du froid, se répare, si nécessaire, règle la circulation sanguine, [...] nous seconde dans l'attirance sexuelle, maintient en place toutes les épaisses confitures et gelées rouges qui sont en nous. [Elle est aussi] étanche, lavable, élastique [...] à l'épreuve du temps [et parfois même une] toile idéale pour les peintures et le tatouage.»

La pratique des exercices ainsi que l'usage de toutes sortes d'accessoires tels que : balles, ballons, bâtons, etc., qui la stimulent constamment, nous fait pénétrer dans un univers tactile et cutané où toucher et contact retrouvent leurs vraies places, amputés qu'ils sont habituellement par le despotisme du sens de la vue. Univers tactile tenu aussi à l'écart par notre éducation qui à bien des égards se méfie du toucher et de la promiscuité qu'il implique. Si, comme le dit le Petit Prince de Saint-Exupéry, «on ne voit bien qu'avec le cœur», le langage parlé dévoile toute l'importance de la peau, en se référant abondamment à elle et au toucher, chaque fois que nous voulons rendre compte du comportement humain, de nos états intérieurs ou encore de la valeur accordée à chaque relation. Ne dit-on pas : toucher juste, avoir la main heureuse, entrer en contact, avoir la peau dure, être à fleur de peau, avoir quelqu'un dans la peau, ne pas se sentir bien dans sa peau, j'aurai sa peau, etc.

Toucher à la peau c'est donc inévitablement toucher au moi, aux fonctions de ce «moi-peau» dont Didier Anzieu explique l'élaboration à partir de l'attachement et de la communication précoce mère-enfant, avec son lot de caresses, de stimulations cutanées et d'échanges tactiles, dont tout adulte portera sur sa peau les traces mnésiques.

Peau de famille, peau de chagrin

Je me souviens de cette participante éteinte, effacée, à la peau terne et cireuse, aux épaules voûtées, qui suivait depuis quelques mois mes séances sans jamais rien exprimer jusqu'au jour où, à la fin d'un cours, elle vint me trouver d'un pas décidé et me dit :

«Yanic, je ne sais pas si ce que je ressens a un lien avec le travail que je fais avec vous, mais je ne supporte plus d'être bousculée, pressée, humiliée; je ne supporte plus que l'on me manipule et surtout que l'on m'oblige à faire ce que je n'ai pas envie de faire.»

Après un temps de pause, sa voix monta et elle me cria presque au visage : «Je veux m'éloigner de ma mère, je ne la supporte plus.» Puis elle éclata en sanglots.

Il est fort probable que la peau de cette participante, ayant été, pendant les séances, étirée, frottée, pliée, lui avait redonné une conscience claire de ses contours et de ses limites, mais aussi le sentiment, peut-être jamais ressenti auparavant, d'avoir une peau bien à elle, qu'elle désirait maintenant décoller de celle de sa mère. Peau de mère qu'elle ne voulait plus par ailleurs porter, qu'elle ne pouvait plus «sup-porter». Les cours lui avaient donc permis de restaurer une des fonctions du «moi-peau» en tant que membrane-frontière qui individualise le corps et humanise le moi en lui redonnant le chemin de son autonomie.

Le cas de cette jeune femme est loin d'être un cas isolé. Dans les cours que je donne, je côtoie bon nombre d'adultes qui se vivent nullement séparés du corps de leur mère ou de leur père, ou de leur enfant, ou de leur conjoint. Ils entretiennent inconsciemment des relations symbiotiques en recréant un corps pour deux et quelquefois même parviennent-ils à ne former qu'un «corps de famille» où le désir de chacun pour son propre corps est absent.

N'est-il pas fréquent, en effet, d'entendre autour de nous des personnes nous dire : «Mon enfant m'a fait une otite.» «Mon fils est timide comme moi, il me ressemble beaucoup. D'ailleurs il marche comme moi.» «Je suis sûr que je vais mourir d'une crise cardiaque, nous sommes une famille de cardiaques.» «Mon mari et moi nous ne faisons qu'un.»

Je sais que les facteurs héréditaires existent, mais rien ne nous permet d'affirmer que nous subirons le même destin que celui de nos parents ou de notre famille. De telles réflexions, de telles formes de pensée, de telles attitudes corporelles et comportementales s'instaurent bien souvent, au fil des années, par notre tendance naturelle au mimétisme. Propension au mimétisme renforcée tout au long de l'enfance par des parents peu soucieux du respect des désirs, des besoins d'espace propre, d'amour-propre de leur enfant. En effet l'enfant qui aime faire plaisir à ses parents ou qui a peur d'encourir des sanctions s'il refuse d'obéir choisit de se conformer soit aux demandes, soit aux désirs, soit aux interdits des parents. C'est ainsi qu'à ce jeu relationnel pervers l'enfant oublie son corps en niant ses besoins, ses aspirations, ses propres demandes envers la vie.

Si, enfant, je ne m'étais pas réfugiée dans la création, si je n'avais pas provoqué cet état de rupture avec mes parents, si mes parents avaient utilisé le double langage, peut-être que comme certains de ces adultes, anciens enfants sages, moi aussi je me serais sentie dépossédée de mon identité avec cette sensation de vide intérieur que rien ne semble pouvoir combler.

Le plaisir d'être en soi

À l'inverse de la plupart des personnes qui suivent mes cours, je n'ai par conséquent pas eu à m'affirmer, à apprendre à dire non pour «sauver ma peau» en la différenciant de celle des autres. Je dirais plutôt que j'ai dû essayer d'apprendre à dire oui, c'est-à-dire à avoir suffisamment confiance en elle. Confiance dans sa capacité à bien m'entourer, à bien me protéger de cet «autre» qui me faisait si peur, sans que j'ose me l'avouer. Confiance aussi dans l'espoir que je nourrissais d'arriver un jour à ne plus éprouver cette sensation de peau arrachée, de peau déchirée, réminiscences de douleurs violentes, jamais criées, éprouvées pendant mon adolescence lors d'un traitement post-opératoire qui suivit une intervention chirurgicale importante au visage. Cette inqualifiable douleur de peau écorchée à vif, à froid, sans anesthésie étant réapparue avec force, pour ne plus me quitter, le jour du départ de mon «prince».

En attendant de faire peau neuve, allongée au sol, bien enveloppée par ma peau, pendant le temps de repos qui clôturait chaque cours, je m'accordais du temps pour profiter pleinement de ce moment de profonde détente que m'apportait chaque séance. Tout d'abord je me représentais l'espace dans lequel j'étais, ma place par rapport aux autres personnes du groupe, en ayant en mémoire leur visage. Puis je quittais ces repères extérieurs pour sentir les différentes sensations primaires de chaleur ou de fraîcheur que me procuraient, par exemple, le contact de l'air sur ma peau ou celui de mes vêtements. J'observais ensuite mes appuis au sol plus larges, plus moelleux que ceux perçus au début du cours, qui me donnaient soit l'impression que le sol me portait, soit que je pouvais m'y lover. Ensuite, petit à petit, en suivant mon souffle, je me laissais descendre au plus profond de moi-même à l'écoute d'autres sensations internes, plus fines, plus indéfinissables aussi, qui émanaient de la présence de mes organes mais aussi des liaisons de tout ce réseau de communication énergétique qui relie entres elles les différentes parties du corps.

Curieuse sensation que celle de la présence des organes, qui provient surtout de la perception de la non-absence d'une partie ou de la totalité de cet intérieur. Intérieur dont la présence permanente nous est si familière qu'en temps normal nous n'en avons pas conscience. De l'ensemble de ces perceptions contenues, retenues par ma peau, émergeait en moi un sentiment de sécurité, la conscience d'être habitée, le plaisir «d'être en soi», parfois perturbé par une envie irrésistible de m'étirer paresseusement, de tout mon long, sur ce sol devenu à la fin du cours si accueillant.

Un territoire mitoyen

Ma capacité d'attention et ma faculté de me concentrer sur un champ précis d'observation en sachant l'examiner sous tous ses angles ayant été exercées durant toutes les années passées dans mon atelier d'artiste me permettaient de sentir de façon la plus objective possible l'état de ma peau, de mes muscles et de mes os avant, pendant et après les mouvements, ou à l'occasion d'un exercice de relaxation. Ces ouvertures de conscience étaient des cadeaux pour mon corps qui réussissait de mieux en mieux à se déshabiller tout d'abord des tensions les plus superficielles pour que je puisse ensuite m'attarder à celles plus profondes que Sylvie me conseillait d'accepter en focalisant encore plus profondément mon attention sur elles pour en diminuer l'intensité. Les ouvertures ainsi réalisées dans mon corps étaient à leur tour des cadeaux pour ma conscience car elles m'apprenaient une certaine forme de tolérance envers l'état de mon corps et ma réalité du dedans.

Réalité du dedans que je ne cherchais ni à trop regarder ni à trop analyser; réalité du dedans dont le sommet de l'iceberg me révélait l'ampleur de mon émotivité, ma sensibilité quasi maladive et mon «quand même» qui alimentait ma détermination à m'en sortir, mais réalité du dedans qui contenait aussi ma grande difficulté à entrer en relation avec «l'autre» sur la base d'un plaisir partagé. C'est sans doute cette dernière partie de ma réalité du dedans qui me faisait aimer cette pratique individuelle qui, bien qu'elle se fasse en groupe, ne m'obligeait que très rarement à me confronter aux autres participants dans des exercices à faire deux à deux. Je n'avais donc pas à craindre que soit mis en cause ce placenta de sécurité que j'avais construit autour de moi et que j'appelais ma «bulle». Une bulle dans laquelle j'expérimentais une autre forme de communication avec autrui. Communication qui se passe de mots. Communication de corps à corps à distance qui s'établit en partant de son propre corps, de son changement d'état quand celui-ci entre en contact avec le corps de l'autre. Communication qui s'établit aussi par le regard, l'odeur, la voix, la posture de «l'autre» que mes sens revivifiés percevaient de mieux en mieux.

Par ailleurs, en groupe, à travers ce que chaque membre du groupe verbalisait librement à partir de ses sensations et perceptions, mais aussi à partir des liens que certains d'entre eux faisaient entre leur vécu et leur perception pendant le cours, je découvrais des similitudes mais aussi la singularité de ce que je percevais, de ce que je vivais. Ces échanges étaient à mes yeux riches de connaissances et me donnaient aussi cette conscience d'être unique, mais pas forcément mieux ni plus mal qu'eux. Tout cela contribuait à les rendre moins menaçants pour ma propre existence.

J'apprivoisais donc dans ma bulle cette mise en relation entre la réalité du dedans et celle du dehors. Réalité du dehors que nous cherchons toute notre vie à «approximer» à partir de notre réalité du dedans. Réalité du dehors dont «l'acceptation progressive […] est une tâche sans fin», écrit D. W. Winnicott dans *Processus de maturation chez l'enfant*. Réalité du dehors et du dedans qui se confrontent constamment à travers ce territoire mitoyen que constitue aussi la peau. Va-et-vient incessant d'informations fournies par «le corps en train de vivre[1]» quand, conscient de ce qu'il fait, il vit l'ambiguïté de son état d'objet-sujet de chaque expérience corporelle en étant à la fois corps touchant et corps touché. Corps touchant, il l'est quand il va à la rencontre de ses limites en touchant du bout des doigts de main ou de pied l'espace, l'objet sur son chemin, ou quand, immobile, il cherche à sentir la forme,

---

1. S. Piret et M. M. Béziers, *La coordination motrice*.

la texture d'un objet glissé sous sa peau. Corps touché, il l'est aussi simultanément quand ce même exercice le renvoie à des sensations internes de picotement, de relâchement, parfois de douleur auxquelles peuvent s'ajouter d'autres perceptions qui l'informent de sa position, de son volume et de son état intérieur.

Le corps développe ainsi l'acuité de ses sens en s'entraînant à sentir et à ressentir. Il apprend de cette façon à dissocier, à nuancer son ressenti, qu'il verbalise pour mieux l'intégrer. Cela enrichit sa capacité à discriminer ce qui se passe en lui mais aussi, de façon concomitante, à l'extérieur de lui. Perceptions d'autant plus objectives qu'une forme de neutralité aura présidé à ses observations. Peu à peu l'ensemble du système proprioceptif s'en trouve amélioré, de même que la circulation du sang qui est également stimulée par ce travail.

Cet apprentissage a lentement élargi les facultés de mes sens en me permettant de voir — sans vraiment regarder — ce qui m'animait, d'entendre — sans écouter — par contact ce qui se passait en moi, mais aussi autour de moi, de goûter — sans toucher — des états de bien-être constamment renouvelés. À l'extérieur des cours j'évaluais de façon plus objective la réalité du dehors et mon corps plus détendu supportait mieux le stress de la vie quotidienne.

Aujourd'hui, avec le recul et les connaissances acquises, il me semble que c'est bien la tension que suscite la mise en relation de ces deux réalités qui fut la cause de celles qui stratifièrent mon corps, au moment de mes deux refus : celui de vivre ma passion, l'autre de poursuivre ma création. Mais en ce temps-là, j'étais si loin de moi que je n'aurais certainement rien compris si quelqu'un avait tenté de m'expliquer tout cela.

9

Un tout organisé

Des avenues bien balisées

La théorie de l'antigymnastique s'appuie pour l'essentiel sur les principes de la méthode Mézières, auxquels Sylvie B. ajouta très tôt dans sa pratique l'aspect mécanique de l'organisation psychomotrice de l'homme mis à jour par S. Piret et M. M. Béziers[1] avec qui Sylvie a travaillé. Sylvie, pionnière dans ce domaine du mouvement alternatif, aime son travail et cela se sent. Sa connaissance intime du corps humain, lentement acquise au cours de ses années de pratique professionnelle, est étayée de tout son savoir théorique, mais surtout et avant tout de ses recherches à partir de son propre ressenti. Recherche personnelle de toute une gamme de mouvements, de placements, d'étirements qu'elle traque avec obstination afin d'éclairer la compréhension que chacun peut acquérir du fonctionnement optimum de son propre corps, répondant ainsi aux besoins curatifs, préventifs ou éducatifs de sa clientèle. Ces axes de recherche qu'alimentent en permanence ses doutes, ses interrogations, ses observations lui donnent l'humilité et la distance des vrais chercheurs.

---

1. S. Piret et M. M. Béziers, *La coordination motrice*.

La devise de son travail pourrait être, il me semble, celle-ci : «Tout à sa place, ne pas élever, ni entraîner vers le bas, mais relier[1].»

Revenir pour mieux partir

Pour pouvoir relier il faut au préalable dissocier les éléments qui composent le corps. Que ce soit debout, assis ou couché, en statique ou en dynamique. Ses exercices m'apprenaient à le faire en amenant à ma conscience les parties indifférenciées, les zones d'ombres souvent occultées de mon corps. Ce travail de dépoussiérage demande du temps et de la persévérance. Un travail non dépourvu de nostalgie d'ailleurs quand nous nous retrouvons tous et toutes en train de ramper, de nous asseoir, de nous mettre à plat ventre ou debout à la manière des enfants. Découverte, ou redécouverte pour certains, de ces stades de développement moteur à partir desquels nous avons tous construit ou mal construit — selon les aléas de notre vie d'enfant — notre coordination motrice.

En suivant le temps-moteur de chaque mouvement, le corps s'aventure dans l'exploration de ces gammes d'exercices dont les enchaînements sont tous orientés vers une fin. Exploration des parties du corps mais aussi de l'espace propre à chacun que chaque mouvement, chaque déplacement balaie. Une certaine objectivité, une certaine neutralité pendant l'exécution des mouvements aident à délier les articulations. Les passages du souffle se libèrent, une aisance s'installe. Mais pour que ce travail soit efficace, pour que les passages ne restent pas bloqués, il m'avait été essentiel de comprendre et de sentir que le mouvement doit

---

1. *Dialogues avec l'ange*, Éditions Aubier.

venir de soi. On reconnaît qu'il vient de soi quand on sent qu'il nous fait plaisir, que librement il semble aller de soi.

Un fil de «soi» à étirer

C'est ainsi que petit à petit, grâce à toute cette exploration consciente, mon corps retrouvait une souplesse, une aisance qui le sortait de son syncrétisme. Parallèlement à ce travail de dissociation et d'exploration, le corps est également convié à un travail d'équilibration du tonus de ses chaînes musculaires et plus particulièrement à un allongement de la chaîne postérieure que nos mauvaises postures, nos déséquilibres maltraitent et raccourcissent. Fil de «soi» que cette chaîne postérieure à étirer afin de remettre le corps d'aplomb pour qu'il soit mieux adapté aux efforts physiques qu'il a à fournir dans la vie quotidienne ou dans l'exercice d'une profession. Avec persévérance, j'ai appris puis intégré les nouveaux repères à partir desquels je sais maintenant réajuster mon corps pour le placer dans sa verticalité afin qu'il se sente aligné. Mon corps qui comme chaque corps nous trompe sans cesse car «il est capable de marcher sans être d'aplomb, d'endurer mille torsions et de s'y adapter, mille contorsions, pliures, entorses à sa forme sans que nous n'y prenions garde[1]».

Cette reconquête de la verticalité à laquelle nous pouvons tous accéder commence en position debout à partir du socle que constituent des pieds bien ancrés au sol, en appui sur les bords externes et sur la base des gros orteils. Les genoux très légèrement fléchis se placent ensuite au-dessus des pieds, les chevilles restant souples pour constamment permettre aux pieds de s'ajuster. Puis, en étant attentif au placement des rotules qui ne doivent pas se regarder quand les genoux se fléchissent, on cherche à ne plus

---

1. Thérèse Bertherat, *Le repaire du tigre*.

«tenir» son bassin mais plutôt à le lâcher comme si on voulait sentir le poids de ses os. Cela provoque un étirement très subtil dans les reins qui soulage la région lombaire et place correctement le bassin. Puis, on étire la colonne vertébrale entre coccyx et sommet du crâne en cherchant l'alignement du haut du tronc. Cet étirement très léger vers le haut, que l'on maintient avec le moins d'effort possible, est équilibré par l'action concomitante du glissement des omoplates sur le thorax et du juste placement articulaire des épaules. Les pieds posés, les jambes alignées, le bassin équilibré, les épaules ajustées, la tête placée, les ailes déployées; bien en appui dans notre assise, sur notre diaphragme, sur le sol et dans l'espace aussi, nous pouvons percevoir alors, de l'intérieur, à un moment donné, à partir de tous ces placements invisibles, notre équilibre. Équilibre entre le haut et le bas, entre l'avant et l'arrière qui nous fait dire : «Je suis bien, je suis juste et je le sens.»

Cet état d'équilibre ne dure malheureusement qu'un instant très fugace, mais quand on l'a senti une fois, il est toujours possible de le retrouver. Ce sont là des moments de bonheur qui ajoutent beaucoup d'intérêt à ce travail. Mais avant de goûter à ces instants j'ai aussi maintes fois ressenti, en dehors des cours, avant que ces nouveaux repères ne s'installent définitivement en moi, cette impression extrêmement bouleversante de ne plus savoir comment me placer, me tenir, où trouver le bon alignement de mon cou pour bien placer ma tête.

Une bien fugitive expérience

Dans une communion profonde avec le savoir et le savoir-faire de Sylvie, j'ai dernièrement eu l'occasion pour mon plus grand plaisir de coller une fois de plus ma sensibilité à la sienne pour explorer, expérimenter une nouvelle gamme d'exercices. En modelant de nouveau mon temps moteur sur le temps du corps, j'ai suivi son fil conducteur qui cherchait à me faire découvrir la sensation de l'élan du mouvement dans l'immobilité du corps. Recherche que lui avaient inspiré les peintres, les sculpteurs qui eux aussi ont voulu traduire le mouvement dans l'immobilité d'une posture. J'entends encore ses commentaires à propos de cette quête :

«Cherchez la tension juste qui tient votre corps en équilibre. Soyez attentifs à ne pas être uniquement tournés vers la technique, la mécanique du geste. Bien sûr nous avons besoin d'avoir des connaissances pour mieux comprendre ce qui se passe en nous, mais la théorie s'arrête là car en considèrant le corps comme un objet vous ne pourrez pas alors avoir accès à toutes ces impressions, à ces sentiments qui naissent d'une posture, d'un geste juste qui fait appel à notre sensibilité profonde et qui nous met dans notre droiture.»

La fin de cette expérience restera à jamais gravée en moi. En effet, dans un équilibre trouvé au bord d'un déséquilibre, dans mon corps visiblement immobile, j'ai ressenti, pour la première fois, la puissance mêlée de retenue du désir à l'état pur contenu dans l'élan d'un mouvement non encore exprimé.

À la conquête du geste juste

L'acquisition du geste juste m'a permis de comprendre et de sentir combien nos gestes répétitifs de la vie quotidienne peuvent devenir source d'énergie plutôt que de fatigue, une fois rééduqués. Cette rééducation passe par l'apprentissage du mouvement fondamental qui forme la trame de chaque geste. Ainsi ce mouvement fondamental, dépourvu de psychisme, qui s'apparente en bien des points au mouvement réflexe, pourra, une fois consciemment rééduqué et intégré, redevenir inconscient pour répondre avec aisance et liberté à l'expression gestuelle de chacun. Dans la pratique, c'est à partir d'un placement corporel précis autour duquel il peut s'organiser que nous le découvrons. Le souvenir de ces séances où nous cherchions à suivre les directives de Sylvie me fait encore sourire, car ses indications qu'elle voulait précises et concises étaient parfois difficiles à saisir mais aussi parfois totalement absentes. Elle se contentait alors d'un geste, d'une mimique, d'une posture qu'en toute bonne foi elle espérait voir croiser notre propre tâtonnement, nos propres interrogations et ainsi nous aider à nous ajuster. Et, quand un air de découragement soufflait dans la salle, je me rappelle l'avoir entendue nous dire : «Cherchez, cherchez, ne croyez tout de même pas que ce travail va vous être donné!»

Et on essayait de sentir, de saisir ce qui nous était demandé, les yeux clos, en fidèles groupies que nous étions devenus. Ces micro-mouvements qui nous conduisaient au geste juste s'accompagnaient la plupart du temps d'un étirement libérateur. Je n'aimais pas particulièrement le point final de cette quête mais mon corps qui en appréciait les effets réclamait, lui, «ces douleurs qui lui faisaient du bien».

Les effets de ce travail de haute précision imperceptible, et parfois parfaitement invisible pour un observateur étranger, étaient d'une telle puissance qu'en cours de séance il m'arrivait souvent de me sentir envahie par une grande fatigue, comme si j'étais ébranlée par de grands mouvements intérieurs. Je ne résistais pas alors longtemps à l'attrait d'une descente en moi-même pour me reposer en abandonnant tout système de pensée, toute volonté de poursuivre. Peu à peu la voix de Sylvie s'éloignait, la lumière devenait plus sombre. Doucement je glissais dans un état limite entre veille et sommeil, propice à des changements d'état de conscience qui me permettaient de m'abandonner et, dans un même temps, de mémoriser ce que je venais d'expérimenter. Puis après un temps assez court, qui me paraissait avoir duré très long-temps, je réintégrais, l'air de rien, le déroulement de la séance. À la suite de ce temps de repos, de cette phase de non-vouloir et de non-faire, je me sentais, pour mon plus grand bienfait, comme neuve, régénérée, lavée.

10

Les imprévisibles réactions de l'être

Un regard curieux et attentif que l'on tourne vers soi, lors d'un tout premier cours, un regard bienveillant et aimant que l'on pose aussi sur soi, pendant les séances, peut être un regard désarmant. Et, en effet, il lui arrive de nous désarmer en mettant en cause notre réalité psychique, avec ses images du corps inappropriées, ses émois passés traumatisants que le corps nous invite à reprendre pour le libérer. Souvent thérapeute et participants sont pris par surprise devant les réactions imprévisibles que peuvent provoquer la pratique d'un mouvement, le contenu global d'une séance et même l'effet à long terme de ce travail. Un même cours pouvant exalter l'un, déborder l'autre, ou laisser un troisième indifférent.

L'imprévisible claque

L'imprévisible claque me fait penser à ce jeune danseur qui désirait suivre les cours pour, disait-il, vivre de façon permanente cette relation d'harmonie totale entre lui et son corps qu'il arrivait parfois à atteindre en dansant. Il cherchait à comprendre aussi pourquoi il avait constamment l'impression que quelque chose lui échappait dans sa vie. «Des amis me disent que je suis comme ceci et comme cela, mais je ne le sens pas», me disait-il. Se sentant en confiance avec moi, il s'engagea, si j'ose dire, à corps perdu dans ce travail corporel, où je lui ai proposé des exercices tout simples d'étirement de la chaîne postérieure. Qu'y trouva-t-il? Il ne put me l'exprimer. La seule phrase qu'il me dit, les larmes aux yeux, à la fin du cours, fut : «Je viens de recevoir la plus grande claque de ma vie.»

Ensuite il est parti. Que fera-t-il de cette claque? Le reverrai-je dans mes cours un jour? J'avoue penser souvent à lui. Son regard, sa très grande sensibilité, ses demandes cachaient peut-être le sentiment d'être coupé de lui-même quand il ne dansait pas. Tout en lui m'a profondément touchée dès notre première rencontre. Acceptera-t-il un jour de se rencontrer et d'aimer, derrière son corps qu'il voudrait parfait, cet autre corps d'enfant peut-être mal aimé par ses parents? Je n'ai rien osé lui répondre. En fait, je ne savais pas comment l'apprivoiser à lui-même, mais je sentais aussi que je ne devais rien forcer, respecter son «moi-corps» et le moment où celui-ci accepterait de se regarder, de quitter l'image de façade qu'il s'était forgée pour lui-même et pour les autres et de souffrir, car on souffre aussi beaucoup quand on prend le chemin de l'authenticité. Mais cette souffrance s'apparente plus à celle d'un accouchement qu'à celle ressentie par l'état d'esclavage que nous fait vivre notre faux moi, notre faux je.

L'imprévisible mouvement

L'imprévisible prit la forme d'un exercice d'ouverture costale pour cette femme de cinquante-six ans. Ses épaules largement déployées vers l'arrière, pendant l'exercice, réveillèrent en elle un souvenir d'enfance traumatisant : sa mère, pendant toute sa jeunesse, la menaçait de lui faire porter un corset si elle ne poussait pas ses épaules en arrière pour se tenir droite. Sous le poids de l'émotion que fit monter ce souvenir, elle ne put continuer l'exercice.

L'imprévisible ressentiment

L'imprévisible éclata en révolte chez cette autre participante quand elle commença justement à croire en ce qu'elle ressentait. Le double langage maternel avait contribué à lui faire constamment douter de son ressenti, au point qu'elle n'accordait pas le moindre crédit à ses perceptions. Pour pallier ce doute, elle avait choisi de ne plus se fier à elle-même, mais à «l'autre», de préférence au dernier qui lui parlait ou à celui qui savait parler haut et fort.

L'imprévisible rêve

Et, quand le moi s'obstine à ne pas sentir le corps, l'imprévisible se produit dans le rêve. Françoise suivait les cours depuis des mois sans jamais rien ressentir, sans jamais rien exprimer. Un jour, elle me conta un drôle de rêve qui lui permit de faire le premier pas hors de sa prison, où depuis son enfance elle s'était emmurée pour se protéger. «J'ai rêvé, me dit-elle, que l'on me prenait la colonne vertébrale comme on prend la porte d'un réfrigérateur. J'ai ressenti une immense douleur dans tout mon dos. La douleur dans le rêve était si forte qu'elle m'a réveillée. J'ai alors pris conscience que j'avais une colonne, moi qui toute ma vie avais pensé que j'étais sans structure, sans axe, ce qui me donnait le sentiment d'être totalement vulnérable, à la merci d'autrui.»

L'imprévisible découverte

La fin des séances est pour certains participants débutants un moment de ravissement, quand ils goûtent au bien-être ; pour d'autres, un sujet de frustration, quand leurs douleurs ne sont pas encore parties ; pour d'autres encore, un constat qui les questionne ou qui est une source de déconvenue s'ils découvrent que leur côté gauche et leur côté droit ne sont pas équilibrés, malgré le même travail corporel fait sur les deux côtés.

Gauche *et* droite, dualité de l'homme inscrite dans son corps, auquel bien des traditions associent symboliquement le féminin *et* le masculin, la nuit *et* le jour, la lune *et* le soleil, la mère *et* le père. Dualité qui m'a donné l'idée de proposer à mes élèves de venir tour à tour habiter, en état de relaxation, leurs deux côtés et de se questionner sur la personne qu'ils voient, sentent et pensent être à droite et à gauche. Cet exercice simple leur fait découvrir, à leur grand étonnement — qui fut autrefois le mien, d'ailleurs —, des personnes bien différentes à droite et à gauche, qui cohabitent en eux, pas toujours pour le mieux. Cet intérieur à double face que nous avons tous, et qui se révèle au cours de ce travail d'introspection, éclaire pour moi la fonction essentielle de l'Homme d'une possibilité nouvelle. L'Homme serait-il ce « et », ce pont qui a en lui-même ce pouvoir, ce don de relier ses deux côtés pour que s'épousent leurs différences, leurs contraires, afin de créer en lui-même, le long de son axe, sa voie du milieu, de l'unité et de l'harmonie ?

L'imprévisible désir

Après trois années de pratique de ces exercices, l'imprévisible prit chez moi l'apparence d'un irrésistible désir de revoir ma mère. Désir qui luttait contre le besoin tout aussi fort de rester à l'écart de mon père. Cette hypothétique visite à la maison familiale après toutes ces années d'absence me tourmentait en secret. Mais, sans que je puisse me l'expliquer, elle s'imposait. Il me semblait que j'étais maintenant suffisamment forte pour traverser cette épreuve.

Revoir ma mère, seule, sans la présence de mon père. La prendre dans mes bras, l'embrasser, la regarder avec tendresse, lui manifester mon affection, spontanément, sans réfléchir, c'est ce que je fis quand nous avons été ensemble. Très émue, elle m'a accueillie et, pour la première fois de notre vie, elle m'a donné un vrai regard. Nous n'avons rien dit. Nous nous sommes tout simplement fait du «bien». Ayant commencé à m'écouter, je pouvais ressentir son isolement, son propre désert affectif et lui donner de l'amour. Regard qui nourrit et régénère. Toucher qui apaise et réconforte. Regard, toucher dont elle n'avait pas su autrefois me combler. Notre «ré-union» se passa de mots.

L'imprévisible méprise

L'imprévisible prit ensuite l'apparence de cette régression qui me submergea, une fois la joie de nos retrouvailles passée. L'intérieur de la maison, l'atmosphère familiale, le train-train quotidien, rien n'avait changé. L'effet exercé sur mes sens par ce décor qui me paraissait immuable réactualisa mon passé et me redonna l'âge de mes tourments chez eux. Dès le deuxième jour de mon séjour, ma vie à Paris me semblait irréelle, ou plutôt celle de quelqu'un d'autre. Je me sentais redevenir l'otage de cette maison familiale et de mes parents qui ne me posèrent aucune question sur ma vie, sur mes projets. D'ailleurs, les quelques informations que spontanément je leur ai données furent soit critiquées, soit jugées suspectes. Sous peine de déclencher un conflit, il fallait que je subisse de nouveau la tyrannie de mon père et la voix monocorde de ma mère qui marmonnait les mêmes sempiternels reproches sur ma façon d'être, tout en m'abreuvant de conseils :

« Puisque tu as abandonné la création, décide-toi à faire un vrai métier, mène une vie plus tranquille, ne sois pas trop ambitieuse. Tu verras, ta santé se rétablira et puis ce serait tellement bien, pour toi, si tu te mariais comme tes anciennes camarades de classe. Tu te souviens de Nicole, eh bien elle vient de se marier avec quelqu'un de très bien… »

Son flot de paroles sur les derniers événements heureux de notre village s'évapora soudainement car je réalisais que c'était bien cela : elle voulait que je sois conforme, rangée et tranquille, comme autrefois déjà elle souhaitait que je le sois au jardin d'enfants puis à l'école. Pas de bruits suspects, pas de taches sur les vêtements, pas de cris, pas d'exclamations déplacées, s'il vous plaît ! Quand on est la digne fille de tels parents, on ne fait pas parler de soi, on ne se fait pas remarquer, on ne trouble pas l'ordre moral et social dans lequel on a été élevée. En fait, elle voulait que je vole dans ma vie à la manière d'Icare à qui son père le sage Dédale avait recommandé de ne pas voler trop haut de crainte que les ardeurs du soleil ne lui brûle les ailes, ni de voler trop bas de crainte que les vapeurs de la mer ne l'aspire. « Sublime médiocrité que cette sagesse[1]. »

Cette sublime médiocrité me révoltait. Ma révolte contre cette médiocrité que ma mère tentait de m'imposer, je me souviens qu'enfant je l'exprimais déjà en adoptant, face à elle, des comportements, des propos outranciers, que je savais capables de ruiner ses espérances. Ses propres aspirations à mon égard me faisaient aussi douter des liens que je venais de renouer avec elle.

---

1. Annick de Souzenelle, *Le symbolisme du corps humain*.

Oui, elle m'avait regardée. Oui, j'avais senti qu'elle avait de l'amour pour moi, mais quelle sorte d'amour maternel ? Difficile à dire. Mais il était à n'en pas douter conditionnel à l'espoir qu'elle nourrissait de me voir un jour en parfaite santé, mariée, en train d'exercer un métier conforme à ses propres critères de réussite et qui aurait donné à tout son village l'image de sa propre réussite en tant que mère qui a su très bien élever ses enfants.

Image idéale de mère, image idéale de fille, j'étais loin du modèle.

Mon corps ne mit pas longtemps à traduire mon ressentiment vis-à-vis de cette atmosphère familiale irrespirable pour moi et mon arbre. Les symptômes de sa maladie s'aggravèrent. Des tensions réapparurent dans mes bras, dans mes épaules, ainsi que des bouffées d'angoisse nées de mon inquiétude face à mon avenir. Elles m'envoyaient en pleine face ce sentiment d'échec qui me collait à la peau depuis que j'étais dans le « rien ». J'étais pathétique, car je ne savais pas comment remonter, comment me réaliser, vers où m'orienter pour n'être pas « zéro » et tenir la promesse faite à mon père et surtout à moi-même. Je ne voyais pas, ne percevais pas que grâce à l'antigymnastique chaque sensation nouvelle, chaque parcelle du corps ressenti était autant de terre ferme reconquise que je donnais à mon arbre. Il se laissait d'ailleurs pousser de nouvelles racines, attiré qu'il était par ce nouveau terreau. Je ne savais pas davantage que s'imprimait au-dedans de moi une somme de connaissances qui, ajoutées à cette terre ferme, allaient me permettre deux ans plus tard de trouver ma place au soleil et de faire un retour inattendu dans un univers créatif.

En attendant ce dénouement heureux, c'est mon corps que j'ai écouté, cette fois-là, pour abréger au maximum mon séjour chez mes parents.

11

L'union du connu
et du connaissant

Bain de mère

De retour à Paris, je fus soulagée de retrouver le sol de la salle de cours pour y délacer mes nœuds de tension et y retrouver la saveur si particulière de ce bien-être que l'on ressent à la fin des séances. J'avais grand besoin de reprendre contact avec moi-même, de retrouver mon corps, maison de mon cœur, où je savais maintenant trouver refuge. Mais j'avais aussi grand besoin de m'allonger de nouveau à côté de cette «bonne» mère que je m'étais choisie. Besoin d'entendre sa voix, ses paroles, de sentir son corps parlant qui me berçait et calmait mes angoisses. Je comprenais maintenant pourquoi j'avais accordé tant d'importance au choix de Sylvie comme guide pour ce travail. J'avais en fait un besoin fou de rencontrer sur ma route une «bonne» mère.

Dans mon désir de l'identifier à une «bonne» mère, je m'attachais à déceler dans chaque trait de son caractère ce qui concordait le plus avec ce que j'aurais tant aimé trouver chez la mienne. Par exemple, je lui étais reconnaissante de savoir stimuler par la variété des exercices ma curiosité et mon intérêt pour ce travail, d'écouter patiemment mes observations sur ce que je sentais, vivais pendant les cours. Je la remerciais aussi en secret de me manifester autant d'ouverture et de m'accueillir jusque dans l'expression de mes humeurs qui se faisaient entendre au-delà de mes mots par ma posture, ma respiration et même par la couleur de ma peau. Mais surtout les réponses à mes questions sur le contenu et le sens de son travail qu'elle me donnait si généreusement répondaient à mon désir de savoir, à ma soif de connaissance, ma soif de tout comprendre.

Je les aime, mes questions qui enflamment mon goût pour la vie ; je les attends, ces réponses, avec l'espoir qu'elles élimineront pour toujours ma crainte de l'absurdité de la vie.

Ainsi le regard, l'écoute, la sécurité, l'appui, le soutien que m'apportait Sylvie me donnaient l'impression d'être tenue, soutenue, contenue par elle. Elle était pour moi une sorte de substitut de maintenance maternelle, une forme de *holding* dont parle Winnicott. Quant aux exercices qui relançaient le tonus postural et ceux, nombreux, d'automassage, ils étaient pour moi un palliatif au *handling* de la mère, autre rôle maternel, chargé de stimuler le corps du bébé mais aussi de le rassasier dans son appétit de caresses.

Malgré moi j'éprouvais souvent, allongée sur son tapis, des états de tristesse qui chaque fois me ramenaient à ma mère, à mon dernier séjour auprès d'elle. Gouttes d'eau sur mon cœur et sur mon arbre que contenaient mes larmes qui coulaient à la simple pensée que je ne pourrais jamais de ma vie la satisfaire. Que faire ? J'étais déchirée entre la nature de mon arbre qui ne pourrait jamais se conformer à la vie que ma mère souhaitait pour moi et l'envie d'accéder à ses désirs, de me soumettre à ses demandes, pour nouer enfin avec elle ce lien symbiotique mère-fille dont je rêvais. Je ne pouvais me détacher de son visage, de sa voix.

Image de mère qui nous tient et nous retient, et qui nous suit, que nous le voulions ou non, tout au long de notre vie.

Prise entre mes deux désirs, il m'a fallu choisir. J'ai écouté mon arbre. J'ai dû faire le deuil de ce lien dont je rêvais, et me suis contentée de celui, assez inconsistant pour moi, que nous avions noué.

Être sa «bonne» mère

Le temps est venu où j'ai senti que je pouvais cesser mes séances chez Sylvie. Mon corps allait beaucoup mieux. Je me référais de plus en plus à lui pour connaître mes possibles et mes limites, ainsi que le degré de fatigue que je pouvais tolérer. Il avait retrouvé suffisamment de sécurité et d'aplomb pour devenir à son tour corps magique, corps capable de se rematerner et de reprendre pour lui-même et par lui-même ce dialogue plein d'amour et de caresses, chemin de communication des premiers temps.

Quand il ressentait le besoin de respirer, de se détendre, de faire le plein d'énergie, il savait en se mettant au sol retrouver facilement les exercices qui le décrispaient et lui procuraient un bien-être et du plaisir. Il m'arrivait souvent, pour me défatiguer et baisser mon seuil de vigilance, de me mettre par exemple un petit ballon gonflable de la grosseur d'un pamplemousse sous le sacrum. Exercice que je propose toujours dans mes cours car il fait vivre un délicieux retour au temps du maternage. Le ballon élastique épouse la forme du sacrum. L'air qu'il contient renvoie par résonance la chaleur du corps, qui irradie alors agréablement dans tout le bassin. Le confort qu'il offre facilite l'abandon nécessaire pour permettre au poids du bassin de se laisser aller un peu à droite, puis un peu à gauche, pour en quelque sorte flotter au gré de sa fantaisie. Ensuite, avec un minimum de participation des autres parties du corps, on exerce des micromouvements, des pressions élastiques, des va-et-vient. Tous ces mouvements sensibilisent le corps à l'élasticité de ses propres tissus et sollicitent la musculature profonde par les réajustements incessants que ces balancements en tous sens demandent. La propagation des pressions de l'air et des liquides à l'intérieur du corps qui en résulte est comme autant de bercements intérieurs. Le corps est alors massé par son propre mouvement. C'est là une des façons les plus profondes de se toucher, de se contacter.

Peu à peu le corps entre dans un état de somnolence, où le travail sur la musculature profonde se poursuit dans un corps sans tête, pour son plus grand bienfait. Chaleur extérieure, chaleur intérieure du corps, mouvance qui rappelle un monde aquatique déjà connu, soutien qui sécurise, travail musculaire qui soulage tensions, raideurs et douleurs. Le corps sans tête, c'est-à-dire sans le contrôle du mental, est toujours prêt à entrer dans ce jeu de plaisir.

Après toutes ces années, mon corps s'était taillé aussi une autre peau. Pas une peau de crocodile à l'épreuve du feu des passions, du flot des émotions et de la sécheresse de certains cœurs, mais plutôt une peau solide et fragile à la fois. Fragile car perméable aux échanges, sensible aux fluctuations de mon existence, pouvant muer si l'environnement et mes expériences de vie s'y prêtaient. Solide car à chaque instant elle m'ancrait dans mon corps en me faisant sentir que j'étais bien ce corps, ces os, ces muscles, cette peau. Cela me donnait une image de moi-même qui me portait à croire que ce corps reconnu pourrait maintenant, contre vents et marées, m'aider à mieux affronter ma vie. Tout cela contribuait beaucoup à dissocier mon corps de ma maladie. Enfin il n'était plus seulement un corps malade dans une forme donnée, mais un corps-chair vivant, heureux d'être enfin touché et aimé.

... et son «bon» père

De plus, mon travail de longue haleine sur la posture portait fruit. Cela se traduisait dans mon quotidien par ma capacité à me servir de mon corps d'une façon plus adéquate. Je savais maintenant comment libérer mon souffle, me «servir» de mes pieds pour marcher sans fatigue, penser à la position de mes genoux pour protéger mon dos. Et quand je devais rester trop longtemps debout et immobile, je laissais «tomber» mes os du bassin pour soulager ma région lombaire et lui épargner ainsi les tensions que les stations debout trop prolongées pouvaient faire naître. Bien ajuster le bas de mon corps de cette façon était chose facile. J'aimais me sentir enracinée. Bien placer le haut du corps pour me sentir, comme disait Sylvie, bien «tuteurée», bien «épaulée» à partir de mes appuis intérieurs était plus difficile. Difficile n'est d'ailleurs pas le mot exact, car c'était plutôt le placement de mes côtes, l'alignement de mon axe, la largeur de mon dos, qui, bien que ressentis plusieurs fois en cours, n'allaient pas toujours de soi dans ma vie de tous les jours. J'avais conscience que le désir de me redresser, de me mettre dans ma «droiture» en reprenant à mon compte ces fonctions paternelles dépendait beaucoup de mes états intérieurs et de cette réalité du dedans qui faisait encore obstacle à mon désir de prendre sans peur ma place et de prétendre même y avoir droit. Désir qui m'habitait avec force chaque fois que justement je me redressais le long de mon axe que j'avais appris à étirer.

Les prémices d'un beau mariage

Mon intérêt jamais démenti envers ce travail, le savoir médical qui se véhiculait dans le milieu où je vivais, les études en psychologie que je décidai d'entreprendre pour passer le temps mais aussi pour mieux faire le lien corps-esprit, le bienfait de ce travail sur moi-même, le savoir et le savoir-faire que j'avais acquis auprès de Sylvie puis auprès d'autres professionnels de la santé, finirent par me laisser entrevoir la possibilité de devenir à mon tour un guide pour cet étonnant voyage de re-connaissance de soi, corps et esprit mêlés. À Montréal, au Québec, sur cette nouvelle terre d'exil où je venais de débarquer, mon entourage m'y encourageait. À l'intérieur de moi, j'étais prête. Je sentais l'urgence de m'y lancer, ou plutôt l'impérieux désir de donner à mon tour, de sensibiliser «l'autre» à toutes ces découvertes. Mon arbre lui aussi m'y poussait, impatient qu'il était de déployer hors moi ses toutes nouvelles branches. J'acceptai le défi et me lançai avec lui dans cette nouvelle aventure.

Le contrat de mariage

Pour sécuriser mes premiers pas dans cette forme particulière d'enseignement, je retrouvais bien inconsciemment ce comportement d'enfant qui pour trouver son autonomie a besoin d'imiter les grands. En l'occurence je m'appliquais à imiter Sylvie. Ainsi, très respectueuse de tout cet apprentissage acquis auprès d'elle, je cherchais à faire aussi bien qu'elle et me jurais à moi-même de lui être toujours fidèle. Souvent, dans mes moments de doute face à ce nouveau travail, je me remémorais certains conseils, certaines réflexions entendus dans sa salle de cours qu'elle aimait appeler son laboratoire. Son état d'esprit, sa grande ouverture, sa totale disponibilité à tous les courants qui peuvent enrichir ce travail m'aidaient et m'aident toujours à faire mes choix ou à me remettre sur pied. Le fruit de ses recherches ou son état d'esprit, lequel des deux m'a le plus marquée, je ne saurais le dire. Mais je suis à peu près sûre que je n'aurais pu m'engager autant dans ce travail s'il n'avait pas été sous-tendu par ses qualités d'être humain.

Progressivement je pris de l'assurance. Le nombre de mes élèves me confirmait que cette voie était la bonne. J'apportais du «bien» autour de moi, ma vitalité s'exprimait. Dans un temps relativement bref, je créais en collaboration avec mon mari un Centre d'étude et de recherche en antigymnastique dont l'objectif était et demeure toujours l'approfondissement et l'enrichissement de ce travail psychocorporel par l'apport de nos recherches communes, mais aussi par celles d'autres courants qui ont tous en commun le mieux-être du corps pris dans sa globalité. Cours hebdomadaires, formations, entrevues individuelles, auxquels s'intègrent maintenant mes connaissances et mes expériences acquises dans le domaine de la psyché et de la vie de l'âme. J'étais donc satisfaite et, me semblait-il, comblée, assez ébahie du reste de l'issue inespérée où m'avait conduite la mauvaise santé de mon corps.

La cérémonie nuptiale

Puis un jour, dans l'espace clos de ma salle de cours, au tout début d'une séance, l'impensable, l'incroyable à mes yeux se produisit. À l'écoute de cette vibration impalpable porteuse de tout ce qui émanait de ces corps allongés au sol, je me sentis interpellée au plus profond de mon être à faire de ma réalité intérieure une clef pour structurer et animer ce temps de travail corporel qui m'était alloué. Temps présent qui mutait de façon imprévisible en temps créateur. Je ne pus m'empêcher de laisser de côté le cours que j'avais préparé et, dans un geste de confiance retrouvée, je sentis naître en moi le fil conducteur de la séance. J'osai me lancer dans ce que l'on nomme souvent de façon un peu péjorative une improvisation.

J'osais aller vers ces corps à partir du ressenti, de mon corps «reconnu» pour répondre le mieux possible aux besoins de ces autres corps qui en cet instant n'en formaient plus qu'un seul. Je percevais leur réceptivité, la confiance qu'ils accordaient à ce tout jeune «connaissant» que j'étais devenu. Le «re-connu» et le «connaissant» étaient prêts à s'unir pour partager avec eux les fruits de leur mariage.

Repli vers l'intérieur de moi. Montée de ce désir d'innover accroché à mon inspiration. Descente vers ma source, en suivant mon souffle. J'étais mue par ce mouvement de montée et de descente, comme tout chanteur qui mentalement bat quelques mesures avant d'entonner son propre chant. Puis le souffle créateur fut de nouveau à l'œuvre pour personnaliser mes propositions de travail et mes mains retrouvèrent le geste spontané en se transformant en regard, écoute intérieure, mots justes qui touchent, modèlent et conduisent la danse des formes.

Aller, retour du geste. Aller, retour de eux à moi, rythme dans l'échange. Rythme dans le silence, ce silence habité par les vagues des souffles, par la qualité de l'air porteur de la résonance de l'esprit de chacun de ces corps.

En cet instant, je me suis sentie pleine, remariée avec le monde de la création qui voulait bien de nouveau s'ouvrir à moi. Mon arbre et moi-même pouvions enfin rechanter.

Ce jour-là, ma vie reprit tout son sel.

Je pensais être arrivée quelque part, avoir acquis quelque chose. En fait je n'étais arrivée qu'au point de départ d'un tout autre chemin, plus dangereusement escarpé que celui que je venais de parcourir.

TROISIÈME PARTIE

La mémoire ressuscitée

Ceux qui ne se souviennent pas du passé sont condamnés à le revivre.

André Malraux.

12

Un étranger sur sa terre

Sur la corde à danser

Créer, travailler, l'un dans l'autre enchevêtrés, je ne savais jamais vraiment où commençait l'un, où finissait l'autre. J'aimais ce que je faisais. J'aimais avant tout me sentir pleine de tous ces possibles que je devais habiller. Ainsi donc, je travaillais, j'organisais, je vivais au gré des montées de sève de mon arbre, porteuse d'idées nouvelles de mouvements, qu'avec fougue et passion je mettais en forme. Grâce à la pratique de cette approche, j'avais gagné de l'assurance et une aisance corporelle qui augmentaient mon allant. Loin, bien loin en arrière se trouvaient les années du «rien», où je m'étais sentie si inutile, où je mourais de ne pas travailler, mais surtout de ne pas créer. Bien dans mon corps, bien sur ma nouvelle terre d'exil, j'avais beaucoup de plaisir à vivre. Cela me donnait la légèreté suffisante pour repousser encore hors de moi et peut-être à jamais mon passé à peine entrouvert pendant le temps du corps. J'avais l'impression d'être enfin quelqu'un, mais au fond de moi je ne savais pas vraiment qui. Les événements à venir allaient me le faire savoir en s'occupant sans complaisance de mon cas.

Les marques, les traumatismes, les chagrins de mon enfance allaient être «re-suscités» par la venue de «l'adversaire», sous les traits de mon père, «chargé de mettre dans le "voir" [mes] dérèglements intérieurs[1]». Je n'eus alors pas d'autre choix que de marcher en arrière en revivant ma relation à mes parents. Cette marche en arrière donna un sens à mon histoire d'enfant, ce qui libéra mon corps de ses tensions les plus profondes, l'ancra dans son temps et permit à mon moi de continuer à grandir et d'accepter de vieillir. Mais pour l'heure, étrangère à moi-même, sur ma corde à danser, il ne me manquait, me semblait-il, que le calme et l'harmonie dans mes relations avec mes parents pour que mon bonheur soit parfait. Pour atteindre cet objectif, je décidai de ne plus voir en eux que des parents qui «avaient fait leur possible pour bien m'élever». Ma mémoire m'aidait en cela, en ne me présentant que les «bons» souvenirs de mon enfance; les autres, très délicatement, me fuyaient. Dans ces conditions, il m'était plus facile d'ouvrir mon cœur à des sentiments de sollicitude à leur égard, pour rétablir de «bonnes» relations avec eux. Ce que je fis.

Le cadeau à ma mère

Vis-à-vis de ma mère, il était urgent de «réparer» les effets de mon «mauvais» caractère. Malade depuis plus de vingt-cinq ans d'une maladie incurable et évolutive, ses forces de vie déclinaient. La qualité de victime que lui conférait sa maladie, en la rendant en quelque sorte intouchable, fermait la porte à tout reproche, à tout ressentiment de ma part. Chaque fois que je la visitais, je m'efforçais, apparemment sans rancœur, d'être cette «bonne» fille qu'elle avait sans doute toujours souhaité que je

---

1. Annick de Souzenelle, *Alliance de feu.*

sois. Je lui offrais une figure aimable, cherchant avant toute chose à la satisfaire, n'hésitant pas pour lui plaire à légaliser une union illégitime qui durait depuis plusieurs années.

Peu de temps après mon mariage, lors de notre dernière rencontre avant sa mort, j'ai su que j'avais vu juste. Toutes deux rendues muettes par la trop forte émotion qui nous étreignait au moment de nos adieux, nos yeux seuls parlaient de séparation, de dernière rencontre, de derniers baisers à donner. Avant que l'on se quitte, elle a tourné sa tête et son regard vers mon mari, puis vers moi, avec un signe d'acquiescement et un sourire qui montraient sa satisfaction. Je perçus ce qu'elle ressentait : elle pouvait partir tranquille, j'étais «bien» mariée, et elle était heureuse de la «chance» qui m'avait permis de trouver ce mari.

Je ne lui en ai pas voulu pour cette «chance» que je voyais comme un nouveau déni de ma personne. Je ne lui ai pas dit le fond de ma pensée, à savoir que lui aussi avait sans doute eu beaucoup de «chance» de m'avoir rencontrée. J'ai accepté sa réalité. D'une certaine façon, son obstination à croire que mon bonheur pouvait se résumer à un mariage et être assuré par lui m'attendrissait. Quant à ma réalité, une seule chose comptait pour moi : accomplir mon «devoir» de fille envers elle. De l'avoir fait m'apporta une paix qui fit taire, pour un temps, tout ressentiment envers ma mère.

Le triomphe pour mon père

Je ne peux pas parler de véritable désir de rapprochement vis-à-vis de mon père, mais je tenais, pour la raison énoncée plus haut et peut-être aussi pour des raisons inconscientes, à cette réconciliation. Apparente réconciliation rendue possible parce que lui parvenait mieux à contrôler ses humeurs et moi, mes provocations.

Dans la bienveillance que j'affichais à son égard, je niais l'importance qu'il pouvait avoir à mes yeux et c'est avec une certaine condescendance que je lui laissais deviner que je ne lui en voulais pas pour ses mauvais traitements passés. J'affichais avec fierté, sous son nez, ma «réussite» familiale et surtout sociale. Il pouvait voir que je n'étais pas le «zéro» qu'il m'avait prédit. Toutefois, je prenais grand soin de me garder à une certaine distance de lui et de limiter mes élans. J'avais l'impression de lui donner beaucoup en cherchant de la sorte à me rapprocher de lui, alors que je ne lui donnais rien car «je donnais sans grâce, c'est-à-dire sans sentiments[1]».

La faute

Mais parallèlement au plaisir que j'éprouvais à créer de nouveau et à me sentir vivante et animée dans toutes mes nouvelles activités, j'étais très souvent malade. En fait, j'étais sans le savoir l'enjeu de la bataille que se livraient dans mon corps mes forces opposées, faites de désir d'exister, de m'exprimer, et d'interdit au désir d'afficher ma nature passionnée, spontanée, ainsi que la variété des couleurs de mon enseignement.

Ainsi, personnaliser l'animation de mes cours pour les groupes hebdomadaires ne me posait pas de réels problèmes. Je cachais mes apports personnels derrière le travail de mes anciens professeurs, déclarant n'être que leur fidèle élève. Mais quand j'ai eu l'audace d'enseigner à mon tour cette approche corporelle à d'autres professionnels de la santé et de partager avec eux ma propre vision de ce travail, je n'eus d'autre choix que de me référer à mes propres expériences. Cette nécessité de m'appuyer sur mon vécu, sur des connaissances étrangères à tout savoir

---

1. Annick de Souzenelle et Jean de Mouttapa, *La parole au cœur du corps.*

livresque, me faisait vivre, sans que j'ose me l'avouer, beaucoup de culpabilité. Inconsciemment, j'étais coupable et même doublement coupable puisque je transgressais l'interdit de mon père et celui de ma mère. Coupable à mes yeux, voilés par ceux du père de mon enfance, d'oser affirmer et exprimer ce que je ressentais et quelle était ma propre vision de ce travail corporel. Coupable aussi aux yeux de ma mère de sortir du rang, de me singulariser, de m'afficher en rejetant l'eau incolore et insipide du modèle de vie qu'elle m'avait donné et qui avait été le sien.

La punition

Transgresser un interdit appelle une punition. C'est la loi, n'est-ce-pas ? Je me l'infligeais donc, espérant comme tout criminel qui purge sa peine pouvoir de cette façon me racheter. Se punir soi-même pour ce genre de délit, qui n'est autre que l'expression, réprimée autrefois par nos parents, de la vitalité de notre vraie nature, nous savons tous merveilleusement, diaboliquement bien le faire. Pour que le châtiment soit parfait, ne faut-il pas de préférence que la douleur ressentie par notre personne soit au moins égale à celle que nous éprouvions, enfants, quand nos parents rejetaient ou brimaient notre moi, notre je ? Répression ouverte comme celle de mes parents, ou répression cachée avec malice par d'autres parents qui s'aliènent leur enfant pour leur propre confort en le déviant de ce qui en *lui* veut vivre et qui finit par croire que les désirs de ses parents sont ses propres désirs.

Dans mon nouveau travail, pour m'empêcher justement de me vivre pleinement, je me mis à saisir au vol, avec complaisance, toute critique, toute projection des émois ressentis par mes élèves. Je voyais dans mon attitude une propension toute naturelle, et combien louable, à une forme de concertation, d'écoute que ma profession justifiait. En réalité je trouvais là mille raisons pour me punir. Ma maladie chronique avec ses phases aiguës, en tout temps disponible, venait me donner un petit coup de main pour me châtier, me nier, me terrasser. L'intensité de mes crises était naturellement proportionnelle au blâme dont je me croyais l'objet.

L'éternel retour

Je mis longtemps à faire un lien entre mes interventions en tant que leader et mes crises, et encore plus de temps à me rendre compte que j'étais enfermée dans une compulsion de répétition qui me faisait participer activement à mes difficultés de santé. En effet, je revivais sous une forme différente les mêmes types de conflits que ceux vécus jadis chez mes parents. Ainsi, chaque fois qu'enfant j'osais être moi-même, parler fort et laisser libre cours à ma vitalité, soit mon père me battait, soit ma mère m'accablait de reproches, et si l'un des deux n'était pas disponible, je les remplaçais en tombant malade. De cette façon, j'étais assurée que ma nature d'enfant était bien chaque fois punie, convaincue que j'étais, depuis ma naissance, d'être une mauvaise graine qui méritait d'être brimée chaque fois qu'elle osait montrer le bout de son nez. Mais chose étrange, la perspective d'être punie ne parvenait pas à inhiber les pulsions de vie qui me faisaient renaître de mes cendres dès que la situation s'y prêtait. Le fait d'être punie ou de me punir donnait même, je pense, le droit à ma nature de se remanifester, puisque d'une certaine façon je payais pour cela.

Le cycle infernal

Curieusement, pour rien au monde je n'aurais voulu changer quoi que ce soit à ce cycle infernal, et cela malgré ma santé précaire qui devenait de plus en plus un handicap à la réalisation de mes aspirations. Impossible de fonctionner autrement, car j'accordais une valeur supplémentaire à mes crises. Je leur conférais un pouvoir créateur, rien moins que cela. En effet, comme c'était toujours à la fin de mes crises que j'avais de nouvelles idées, je croyais qu'il m'était nécessaire d'être au préalable bien malade pour créer. Vision de la réalité complètement fausse, qui me dupait et m'aliénait.

J'ai d'ailleurs remarqué, autour de moi, nombre d'artistes ou d'autres personnes qui s'imposent des épreuves inutiles ou se trouvent pris dans des situations impossibles, d'illusoires défis, juste pour se prouver à eux-mêmes, d'une façon bien pathétique, qu'ils pourront encore et toujours survivre ou continuer à créer à n'importe quel prix, sous n'importe quelles conditions.

Un interdit peut en cacher un autre

De la même façon qu'un train peut en cacher un autre, j'avais un autre bon motif pour vouloir me punir. En effet, les sentiments d'hostilité refoulés vis-à-vis de ce père tant détesté étaient d'une telle intensité que je refusais d'admettre l'évidence, à savoir que je lui ressemblais. Je retrouvais en moi ses qualités de leader et de pédagogue. C'est pourquoi je n'hésitais pas à manifester envers moi-même ce comportement sadique pour nier ma ressemblance avec lui, lui que j'aurais tant voulu châtier à ma place.

Il n'est pas facile de détecter toutes ces conduites masochistes que nous nous infligeons et qui martyrisent nos vies, pas plus d'ailleurs que la jouissance que l'on éprouve à se punir ainsi : je n'ai pas aimé découvrir que mes crises m'apportaient aussi du «bon» à vivre.

La récompense

La douceur des draps, la tendresse d'un lit, l'ambiance feutrée d'une chambre, les boissons chaudes, tout le cérémonial si familier qui entourait mes crises m'apportait le plaisir de régresser un peu. À l'abri, dans le noir de ma chambre, en retrait de ce monde qui me paraissait parfois si dur, si cruel, dans ce temps hors temps où j'étais hors jeu, dans cette forme de solitude que je connaissais si bien et qu'enfant je chérissais, je me restaurais, mais aussi, patiemment, j'attendais. J'attendais d'être parcourue par cette lame de fond qui me ressusciterait; j'attendais que vibre en moi cette énergie vitale phénoménale qui allait me donner de nouvelles idées, me permettre de repartir avec feu, en première ligne dans cette guerre de front que représentait pour moi toute confrontation avec «l'autre» et que suscitait mon désir d'exister face à lui, d'être reconnue par lui.

Force intérieure qui me donnait la sensation d'être invincible. Force que je sentais capable de me propulser vers des sommets inaccessibles, des conquêtes futures, d'«impossibles» possibles victoires, force magique. Certaines personnes l'éprouvent lors de la réalisation d'exploits sportifs ou autres; moi je la sentais monter, avec délices, dans le creux de mon lit, dans la température anormale de mon corps contraint par la maladie à l'immobilité.

13

Une bataille de pouvoir

Par trop de présomption

C'est au moment où je m'y attendais le moins, où j'étais le plus satisfaite de ma vie et de mes réalisations, où tout semblait sous contrôle, que mon père me rendit visite. Veuf depuis une année, il faisait pitié à imaginer, seul dans cette maison familiale dont les cris s'étaient tus depuis le départ de ses filles et la mort de sa femme. Ma plus jeune sœur me suggéra de le recevoir pour quelque temps, prétextant qu'un peu de tourisme pourrait lui changer les idées et le distraire. Mon arbre me cria : «Méfie-toi, l'entreprise est risquée. Es-tu assez solide pour vivre un tel défi? Sauras-tu taire tes ressentiments, marcher à ses côtés, plier devant ses exigences pendant un si long séjour?»

Très au-dessus de mes affaires, je fis la sourde oreille et m'empressai d'acquiescer.

Qui sème le vent récolte la tempête

Avec beaucoup d'efforts, d'attention et de retenue, mais aussi avec l'aide de mon mari, je parvins à garder le séjour de mon père parmi nous sous contrôle en me mettant à son service. Je me voyais déjà fêtant notre succès après son départ, prévu pour dans quelques heures, quand, stimulée par le fait que rien de ce que mon arbre craignait ne s'était passé, je me risquai. Je me risquai, tout en sentant que je m'aventurais sur un terrain dangereux. Je me risquai à lui faire part de mes observations d'enfant sur l'un des aspects de sa relation à ma mère. Rien de bien compromettant ni de bien méchant, une remarque plutôt même à son avantage. Ma hardiesse — et je le savais au moment où je lui parlais — était d'oser évoquer son passé dans sa relation à ma mère dont il se sentait — et je le savais aussi — extrêmement coupable.

Les traits de son visage se brouillèrent comme un bol de lait pas frais que l'on a mis sur le feu. Ses lèvres se pincèrent, son regard me fusilla et sa voix de stentor m'apostropha en niant toute valeur à mon témoignage. Sa réaction, la force de son déni, hors de proportion avec ma remarque, me prirent par surprise. Je ne pus me contrôler. Une rage lourde de mes quarante années de révolte s'empara de moi. Je revivais l'intolérable. À mon tour de lui imposer silence, de le faire taire. Il était dans mon fief, j'avais donc tout pouvoir de le faire.

Sa stupeur, en me renvoyant à la fois l'ampleur de ma fureur et l'audace de ma riposte, me débalança. Il le sentit. C'était ce qu'il lui fallait pour reprendre l'avantage, en retrouvant son ascendant sur moi. Son visage se replaça, se reglaça. Il se mit debout, me toisa et, devant mon air hébété par la violence du combat, il déclara qu'il ne pouvait tolérer d'être traité ainsi par sa fille, qu'il ne resterait pas une heure de plus chez moi, qu'il allait en d'autres lieux attendre le départ de son avion.

Cette nouvelle confrontation, ce nouveau baiser de loin le plus violent, endommagea sérieusement mon arbre. Emporté par le vent de cette tempête qu'il n'avait pu empêcher, il gisait là, à terre, à moitié déraciné, plusieurs branches cassées, pratiquement enseveli sous les décombres.

Si j'avais su...

Accablée par ma part de responsabilité dans le déclenchement de cette scène, je me réfugiai dans ma chambre, laissant mon mari arranger ce désastre. De ma chambre, j'entendais mon père justifier à grands frais l'outrage qu'il avait reçu, encouragé par l'oreille complaisante de mon mari qui, lui, cherchait, mais en vain, une possible réconciliation.

Rien n'y fit. Avant de partir, mon père a demandé à me saluer. Face à lui, je me suis sentie tellement «rien», tellement méprisable, qu'au lieu de lui dire : «Prends-moi donc dans tes bras et essayons de nous pardonner» — ce qui aurait sûrement tout effacé —, je décidai de m'offrir à ses coups. Comment aurais-je pu lui «dire» autre chose, moi qui n'avais jamais connu, venant de lui, que des coups quand je n'étais pas d'accord avec lui? Pour ne pas nous quitter fâchés, pour préserver notre relation, la «bonne entente» entre nous que j'avais avec tant d'effort réussie à créer, j'acceptais qu'il m'humilie, rien moins que cela. Ma disposition d'esprit lui suffit. Il avait gagné. Il décida de rester et son visage afficha, pendant le reste du temps, une expression que je lui connaissais bien et qui signifiait qu'il était ici, comme il l'avait toujours été chez lui, le maître de la place.

L'impossible victoire, l'implacable défaite

Après son départ, mon mari tenta de me raisonner pour me rassurer. Il m'affirmait «que j'avais eu raison, qu'il était de mon côté ... que tout finirait par s'arranger ... qu'il ne fallait pas que j'y accorde trop d'importance, puisque ma vie était maintenant ici, loin, si loin de lui». J'écoutais, j'essayais de le croire, mais je n'arrivais pas à m'en convaincre. Ma réalité était que d'une part je venais peut-être de perdre mon père, et que, d'autre part, par cette simple perte de contrôle sur moi-même, j'avais balayé toutes ces années d'efforts en vue de maintenir coûte que coûte un lien avec lui. Je m'en voulais d'avoir tout gâché, de n'avoir pas su me maîtriser. Je me détestais pour ne pas avoir évité ce conflit, pour n'avoir jamais été conforme à ce qu'il souhaitait et n'avoir jamais su m'en faire aimer. Mais je crois surtout qu'en secret je m'en voulais tout simplement de ne pas avoir gagné. J'avais lamentablement échoué dans mon désir de réaliser mon fantasme d'enfant qui attendait depuis tant d'années sa revanche sur ce père. Tant de fois, j'avais imaginé qu'un jour, je serais suffisamment grande et lui suffisamment vieux pour pouvoir à mon tour le faire taire, lui faire peur, lui imposer silence. J'avais osé me mesurer à lui et j'avais perdu. Pourquoi, si près du but, ai-je flanché? Pourquoi cette défaite? Est-ce parce que l'enfant en nous ne peut accepter l'idée d'un père faible, démuni? Ou a-t-il peur de sa violence qui pourrait le conduire au parricide? Qu'est-ce qui a couché mon arbre à terre? L'humiliation que j'ai subie ou mon désir coupable, ô combien puissant, l'espace d'un instant, de vouloir vraiment tuer mon père, d'en finir une fois pour toute avec lui? Je répugnais à me poser ces questions, je voulais tout oublier et surtout l'oublier.

Chien perdu sans collier

L'ambivalence de mes sentiments à l'égard de mon père alimentait en secret un chagrin que j'avais beaucoup de mal à contenir. Mon mari tournait autour de ce chagrin comme autour d'une digue prête à se briser au moindre signe, au moindre rappel qui pouvait, même de très loin, évoquer mon père. Il me sentait vulnérable, appauvrie, fragile, à la merci de n'importe quel coup. Il était inquiet, cela se voyait. Il cherchait lui aussi à se rassurer en sondant la force de ma «personne», redoutant de la voir, à tout moment, voler en éclats.

Plus le temps passait, plus j'étais tourmentée. Sans nouvelles de mon père depuis son départ, son silence me pesait et m'inquiétait. Je cherchais des raisons qui pouvaient le justifier. Peut-être que sa victoire lui avait laissé un mauvais goût et qu'il réfléchissait sur le moyen de réparer. Peut-être avait-il réellement décidé de ne plus me donner de ses nouvelles, de ne plus me revoir. J'avais de bonnes raisons d'avoir peur, et de croire que, sans doute, cette deuxième hypothèse était la bonne, car ma sœur aînée, qui elle aussi avait osé une fois l'affronter, était depuis ce temps-là «fâchée à mort» avec lui. Pour rien au monde je ne voulais devenir cette enfant proscrite et vivre ce même calvaire. Je me mis à avoir terriblement peur de ses représailles. Pour cette raison, entre autres, je tenais beaucoup à renouer avec lui. Mais intérieurement, je ne pouvais me résoudre à lui pardonner de m'avoir en quelque sorte humiliée devant mon mari et mes enfants. De cela je réclamais vengeance. C'était à lui de céder. Il devait faire au plus tôt le premier geste, m'écrire ou me téléphoner pour me dire qu'il s'excusait, qu'il comprenait ma colère. J'enrageais de me trouver dans cette attente, de le sentir si maître de lui et moi si dépendante, encore si attachée à lui. Comment, avec de telles pensées, aurais-je pu, moi, faire les premiers pas pour avoir de ses nouvelles?

14

Une passion barbare

Un «sacré» coup de poing

Environ deux mois plus tard, à la sortie de la projection du film *Salaam Bombay* qui raconte l'histoire d'un enfant de six ou sept ans livré à lui-même dans une ville de l'Inde, je me répandis en pleurs sur le bord du trottoir, ne pouvant me contenir plus longtemps. La détresse de cet enfant, si pathétiquement démuni, m'avait frappée de plein fouet. Pliée en deux, mes mains sur mon ventre, incapable de contrôler mes pleurs, je parlais à mon mari, entre deux sanglots, d'enfant sans défense, d'abandon inacceptable, d'injustice, de responsabilité parentale. Mais en vérité, sur quelle histoire est-ce que je pleurais? Sur celle du film? Sur celle de mon père, enfant rejeté, que j'avais en quelque sorte abandonné à mon tour? Ou alors était-ce sur ma propre histoire? Sur le silence de mon père que je prenais pour une forme de rejet? Ou peut-être bien que je pleurais sur la fillette que j'avais été et qui s'était sentie si seule au monde quand ses parents ne manifestèrent pas la moindre réaction, ne demandèrent aucune explication sur son comportement qui changea pourtant du tout au tout après sa décision de se couper d'eux? Quoi qu'il en soit, les images choc de ce film furent l'élément déclencheur qui fit basculer, le soir même, l'adulte que j'étais dans un enfer où j'ai bien cru mourir.

Une descente aux enfers

Cette nuit-là et les suivantes, je restai éveillée. Je ne comprenais pas ce qui m'arrivait. Je me mis à appréhender la venue de chaque nuit. Nous étions en automne, les arbres perdaient leurs feuilles, les nuits s'allongeaient, la nature rentrait dans l'hiver et moi je m'enlisais dans des jours sans nuit. Quand, épuisée, je m'oubliais pour quelques heures, des cauchemars me hantaient. Je me réveillais en sursaut pour sauver ma peau. De nouveau, je rêvais de Gestapo, de félins dangereux que l'on maintenait en cage. Des bouffées d'angoisse succédaient à ma colère d'avoir accepté de voir un tel film. De jour comme de nuit, dans cette alternance qui n'oscillait plus, j'errais d'un sentiment à l'autre comme un bateau ivre, sans mât, sans boussole, n'osant accoster pour se reposer. Par peur de quoi? Je ne le savais pas. Et mon corps, meurtri par le manque de repos réparateur, me faisait de plus en plus atrocement souffrir. Je me mis à courir de thérapeute en thérapeute, réclamant une aide qu'ils ne pouvaient m'apporter, car je cherchais à côté. L'urgence de mon état me cachait l'essentiel. Il aurait été important que je commence une thérapie. Mais je ne pensais qu'à l'urgence de retrouver le sommeil, en évitant le plus possible la panoplie des somnifères et des antidépresseurs.

Coûte que coûte, je m'efforçais de garder la tête hors de l'eau, c'est-à-dire hors de mon inconscient, en absorbant tout ce qui était disponible sur le marché des médecines douces et, si les circonstances l'avaient permis, j'aurais suivi n'importe quelle séance de guérison ou de magie pour retrouver la paix de l'âme, des nuits sans cauchemars, le bien-être du corps. Plus les jours passaient, moins les tisanes, vitamines et autres remèdes naturels avaient d'effet sur moi. Mon corps sombrait et je sombrais avec lui. Je réalisais avec anxiété que j'étais impuissante à lutter contre cette force démoniaque qui m'engloutissait. Parfois, j'étais convaincue que je n'étais que le jouet d'un démon extérieur qui voulait ma peau. Je m'interrogeais alors sur ce prince des ténèbres qui se terrait le jour et qui, en silence, la nuit, heure après heure, endommageait mon corps. D'autres fois, je pensais que c'était quelque chose en moi qui résistait au sommeil. Le sentiment d'être manipulée par l'une de ces forces me maintenait dans un état de désespérance, qui, peu à peu, m'entraînait dans l'enfer tant redouté d'une dépression profonde qui sournoisement paralysait mon arbre.

Un séjour dans les ténèbres

Qui n'a pas connu cet enfer ne peut l'imaginer. L'enfer que la religion catholique se plaît à nous promettre pour demain dans l'au-delà, je le vivais dans «l'ici et maintenant» de mon quotidien. J'aurais juré que mon enfer en avait la même couleur, la même cruauté, et qu'il était, pareil à lui, éternel. Avec effroi, je m'apercevais que je décrochais de la réalité. Tout me devenait indifférent, lointain. Les liens d'amour qui m'unissaient à mon mari et à mes enfants devenaient de plus en plus ténus, et souvent, je ne les sentais même plus. Un séjour dans un centre de thalassothérapie ne m'apporta aucun bien-être. Plus rien ne me touchait. Choc thermique, jets d'eau, bains d'algues : j'étais imperméable à leurs effets, incapable de sortir de ce monde gris, inodore et sans attrait dans lequel je baignais. Je fus effrayée de constater que même les objets les plus anodins perdaient pour moi la raison de leur matérialité. Ainsi, par exemple, je n'étais plus capable, en regardant un simple crayon, d'en sentir son usage.

Je me mis à avoir peur de la folie. Cet hiver-là je ne fus qu'une plainte, qu'un appel à la vie, subjuguée par la mort.

> *Où es-tu, je ne te vois plus?*
> *Qu'es-tu devenue, mon espérance?*
> *À moi qui désire te voir,*
> *Un jour me semble mille ans*[1].

Une drôle de fuite

Inapte à lutter contre ces objets persécuteurs internes et externes que je ne parvenais pas encore à identifier consciemment, je sentis qu'une nouvelle fois la fuite s'imposait. Pour me dégager de cette menace qui me faisait craindre l'anéantissement de ma vie, je me mis à ressembler à ma mère. Toute sa vie, elle s'était conformée le plus possible aux exigences de son propre père qu'elle craignait et à celles de mon père pour provoquer le moins possible ses colères. Alors pourquoi ne pas me plier, me couler dans ses propres défenses, essayer son système de fuite pour échapper à mon propre danger? Lorsque nous avons été élevés le nez collé sur les moyens de défense de nos parents, n'est-il pas normal de les reprendre à notre compte, dans l'espoir inconscient que leurs moyens soient efficaces pour nous?

Ce soudain désir de me glisser dans sa peau en mimant ses gestes quotidiens, son regard si souvent vide et lointain qui lui permettait de ne pas ressentir d'émotion, offrait à mon inconscient d'autres avantages. En la faisant revivre en moi, maintenant qu'elle était morte, elle pouvait continuer à m'accabler de reproches. Reproches qu'elle n'aurait pas manqué de m'adresser si elle avait été témoin de l'altercation entre mon père et moi.

---

1. *El cancionero de la colombina.*

Lorsque j'étais enfant, ne me donnait-elle pas toujours tort? Ne se servait-elle pas aussi de la menace que représentait l'arrivée imminente de mon père, ou de ses possibles représailles, pour tempérer ma joie de vivre si celle-ci s'exprimait trop bruyamment, ou pour arrêter mes disputes avec mes sœurs, ou encore pour calmer mon tempérament trop effronté à son goût?

Inconsciemment je devais aussi rechercher, à travers mon identification à elle, un retour à cet état fusionnel au sujet duquel nous fantasmons tous et plus particulièrement dans nos moments de déprime. Période intra-utérine où nous avions, avec notre mère, un corps pour deux, une enveloppe commune qui nous donnait un sentiment de totale sécurité. Refuge illusoire que ce monde où il n'y a aucun désir, plus d'identité individuelle, plus de responsabilité. Abri provisoire contre toute agression, toute frustration, dans lequel nous pouvons souhaiter entrer pour un temps, mais pas trop longtemps, car le temps que l'on y passe est un temps psychiquement mort puisque l'on n'existe plus. Ainsi espérais-je sans doute m'éloigner de ce destin implacable qui s'abattait sur moi.

Et, plus subtilement, à un niveau toujours inconscient, peut-être qu'en ressemblant à ma mère je cherchais à attirer la bienveillance de cette force redoutable qui me terrassait. N'avais-je pas constaté combien, depuis le début de la maladie de ma mère, mon père qu'elle craignait tant était devenu plus attentif, plus aimant envers elle, donc plus inoffensif?

La cigarette du condamné

En plus de ma croyance d'être le jouet de cette force extérieure machiavélique, je me vivais aussi, sans vouloir me l'avouer, condamnée prochainement à une mort réelle, car j'attribuais un grand pouvoir à une prédiction qu'un jeune Indien m'avait faite au cours d'une soirée pendant mon séjour à Londres. Dans son mauvais anglais, j'avais cru comprendre que j'allais mourir jeune et, dans ma tête d'adolescente, j'avais inscrit le chiffre quarante, pensant en ce temps-là qu'une personne de quarante ans avait suffisamment vécu pour être en âge de mourir! À mon insu, cette superstition ne faisait qu'augmenter mon anxiété.

Un jour où mon fantasme de mort était, par l'aggravation de mon état de santé, à son paroxysme, je téléphonai à un ami thérapeute pour qu'il vienne de toute urgence me soigner. J'attendais beaucoup de lui, car je connaissais ses compétences dans l'approche thérapeutique qu'il avait choisie et notre réelle amitié me faisait espérer un traitement de faveur. Quand il vit mon état délabré, il éclata de rire et me dit :

«Yanic, comment t'arranges-tu pour te mettre dans un état pareil?

— Moi, m'arranger, que veux-tu dire?

— Tout simplement que ce n'est peut-être pas nécessaire que tu t'obliges à souffrir autant pour comprendre quelque chose.»

En morceaux, je le regardais, ahurie, hébétée; j'étais en état de choc. Si je n'avais pas cru en lui, qu'aurais-je fait? Mais ce n'était pas le cas, j'accordais beaucoup de crédit à son propre cheminement et c'est pourquoi je pris le parti de lui raconter la dernière visite de mon père, le film, mon enfer, mais sans souffler mot de ma croyance superstitieuse, que ma raison jugeait totalement idiote.

Il me mit sur le chemin en me disant que la dernière visite de mon père et la mort récente de ma mère n'étaient pas étrangères à mes symptômes, que ma peur des représailles de mon père le transformait à l'intérieur de moi en persécuteur et que la croyance que j'avais d'être une mauvaise graine aux yeux de mes parents avait fait naître en moi une culpabilité persécutrice des plus pernicieuses, cause de mes tourments.

Je résistais, m'opposais à ces dires, en niant tout sentiment de culpabilité envers mes parents. Je lui affirmais que j'avais maintenant fait le deuil d'une réconciliation avec mon père que, d'ailleurs, je haïssais. À ma haine il opposa, étrangement, mon amour fou pour lui. Mais comme il me voyait d'une part violemment opposée à ce père et d'autre part apparemment indifférente à la mort de ma mère, il prit congé sans élaborer davantage sur ces sujets. À peine soulagée sur le plan physique, j'étais psychiquement terriblement perturbée par sa visite.

Le désir d'expier

Seule dans ma chambre, je me remémorais les paroles de mon ami. Comment mon père pouvait-il être en moi cet objet persécuteur qui voulait ma mort? Moi, je voulais ma vie. Dans ce combat sanglant à la vie, à la mort, les jours sans nuit continuaient à défiler et mes forces à décliner. Mon corps portait les marques de ces nuits d'insomnie comme autant de coups que sa main invisible continuait à me donner. Lui, en moi, encore me battait. C'était lui le prince des ténèbres. Mes muscles endoloris criaient leur agonie. Comment extraire de mon corps ce père parasite? J'étais vaincue, esclave enchaînée par mes liens de haine et… d'amour, dites-vous?

Je taisais mon amour et je criais ma haine. Quel est donc cet amour fait de tant de haine? Comme une amante possédée par le feu de sa passion, qui réclame l'accouplement en espérant l'apaisement, je comptais mes heures d'insomnie comme autant de coups qui finiraient par me permettre de dormir. Mais quand j'y parvenais, ce n'était que partie remise. Inconsciemment, je réclamais de nouvelles souffrances, telle une amante repue qui, sitôt son corps apaisé, sent son désir renaître.

Mon corps épuisé réclamait, lui, le châtiment suprême. Qu'on en finisse enfin, pour qu'on le libère.

Le réveil de la marmotte

Quand ai-je senti les premiers signes annonciateurs de la fin de mon hiver, de la fin de mon enfer? Qui m'aida à sortir de ma torpeur? Qui au cœur d'une nuit, en réponse à mon appel de détresse, a guidé ma main vers *Le symbolisme du corps humain* d'Annick de Souzenelle? Livre acheté par mon mari trois ans plus tôt et que je n'avais jusque-là jamais eu envie de lire.

Je l'ouvris au hasard et les premières phrases se sont tout de suite mises à chanter dans mon cœur. J'en découvrais le sens profond. Avide, j'ai voulu poursuivre, mais très vite elles se sont tues en retrouvant une signification que je comprenais de façon intellectuelle mais qui ne me pénétrait plus, ne me touchait plus. Je compris que je venais d'ouvrir un livre sur la «connaissance», dont les mots ne vibrent, ne se détachent pour donner leur sens que quand le lecteur est apte à s'éveiller, à s'élever grâce à eux. Ce soir-là j'acquis la certitude que mon enfer était lourd de sens.

Je ne puis me souvenir de façon chronologique de tout ce que ce livre m'a permis de comprendre sur le passage obligé que constituent nos épreuves. Mais c'est ce livre si difficile à percer, à comprendre qui m'a sortie de mon errance, de ma désespérance. Il a su s'adresser à tout mon être, à tous mes sens, pour m'assurer que mon séjour dans cet enfer ne serait pas éternel, mais qu'il était nécessaire pour que je puisse par la suite m'ouvrir à une autre dimension de moi-même, à un autre plan de vie.

Ce printemps m'apporta l'espoir d'une promesse de lumière, d'une victoire sur mes ténèbres.

L'espoir, comme la rose, est-il ce matin éclos?

À partir de ce jour, le temps ne fut plus du tout à l'oubli, mais au re-souvenir. Une autre alternance, non liée au cycle des jours et des nuits, prit place. Alternance qui dépendait de ma capacité à entrer ou non en résonance, soit avec l'enseignement contenu dans le livre d'Annick de Souzenelle ou dans d'autres, soit avec les événements de ma vie qui réveillaient mon passé.

D'autre part, libérée de ma peur de mourir grâce à un travail spécifique[1], je commençais à mieux tolérer mes insomnies et même à voir en elles de nouveaux guides sur mon chemin. C'est ainsi que pendant tout le joli mois de mai je mis à profit le silence de mes nuits sans sommeil pour retourner ma terre des profondeurs, à la recherche de souvenirs occultés. J'espérais qu'elle se révélerait à l'image de ces champs extérieurs, si riches en promesses de fertilité en ce temps de l'année. Pour cela je descendais palier par palier dans un état de relaxation profonde où je laissais se faire librement des associations de pensées, d'images, que je regardais défiler avec la plus grande neutralité jusqu'à ce que je me sente remuée au plus profond de moi-même et parfois même submergée par un flot d'émotions. Survenaient alors des prises de conscience si inattendues, si éclairantes qu'elles me procuraient chaque fois des séjours inespérés au purgatoire.

---

1. Se référer à la section «Le livre d'images» à la page 155.

Les feux de la Saint-Jean

À l'approche du jour de la fête de la Saint-Jean, je m'interrogeais sur la signification et les symboles qui se rattachent à cette fête de la lumière et du soleil. Fête où, dans certaines traditions, on brûle des craquelins qui symbolisent les restants d'un soleil noir, autre symbole pour illustrer le peu de lumière qui éclairait six mois plus tôt la noirceur de l'hiver. Feux à l'image aussi de la passion, dont les flammes dévorantes détruisent, mais purifient aussi tout sur leur passage. Tous ces feux que l'on allait allumer un peu partout dans le pays me renvoyaient à cette relation passionnelle qui, au dire de mon ami, était censée exister entre mon père et moi et qui consumait peu à peu mon désir de vivre. Le feu de cette passion barbare me tourmentait beaucoup, surtout depuis mon dernier rêve éveillé, qui avait tourné en un véritable cauchemar. Je décidai de me le remémorer et de prendre tout mon temps pour en saisir toute la signification.

Un animal féroce, à l'apparence d'un chacal, rôde autour de moi tel un prédateur à l'affût de sa proie. L'enfant qui le regarde est terrorisé, il se tient immobile, paralysé à la fois par la peur d'être possédé et l'impossibilité d'échapper à son emprise. Dans la suite du rêve, c'est moi que j'ai vue comme sans identité, rampante, soumise, de nouveau prête à subir. En même temps, je me voyais comme coupée en deux, la tête pleine de serpents. Puis dans la suite du rêve, plus loin encore, je me vois traînant les pieds, vidée, comme si j'avais donné tout mon intérieur à ce prédateur pour qu'il soit plus fort, plus beau, moins avide.

Les réminiscences de ce cauchemar, avec son lot de sensations et de visions, m'ébranlèrent de nouveau profondément. L'attitude de soumission que j'avais dans mon rêve était tellement en contradiction avec mon comportement habituel, fait depuis toujours de rébellions, de batailles et de fuites, qu'il me donna l'envie de vomir. Il me fallut du temps pour admettre, à partir des révélations du contenu de ce rêve, que j'étais en plein drame œdipien et reconnaître la folie de ma force érotique qui, au lieu de se mettre au service de ma réalisation et par conséquent de ma vie, me rendait esclave de mon père dans l'espoir d'être aimée de lui.

Comment aurais-je pu imaginer que j'étais embourbée dans un tel conflit? Aucun aspect visible de ma relation à lui ne pouvait l'indiquer : il ne m'avait jamais regardée, que je sache, avec la moindre intention déplacée, le moindre intérêt sexuel, et moi je n'avais affiché à son égard que répulsion et, pire, indifférence!

Ce que j'appris plus tard, c'est que mon sentiment de haine à son égard, né de ses premiers coups et de l'absence de marques d'affection de sa part envers l'enfant que j'étais vers trois ans, ne m'avait pas permis de vivre, au moment où je traversais le stade génital, le fantasme de toute fillette d'être un jour l'épouse de son père. Dans son livre *Au jeu du désir*, Françoise Dolto explique ce désir d'union, normal pour toute fillette entre trois et cinq ans, qui l'oblige à faire l'expérience si structurante du renoncement à ce désir en la renvoyant à sa réalité d'enfant, soumise comme son père à l'interdit de l'inceste. L'interdit de satisfaire ces pulsions sexuelles avec un des membres de la famille orientera tout naturellement l'enfant, puis, plus tard, l'adulte, vers une personne étrangère à sa famille pour vivre de façon juste sa sexualité.

En fait, noyée dans ma haine pour mon père, j'avais conservé bien inconsciemment l'assurance que, si mes sentiments avaient été différents, j'aurais eu quelque chance de satisfaire mon désir d'être choisie et aimée par cet homme si beau, si fort, dont en secret j'étais si fière et si amoureuse.

Par ici la sortie

Durant tous les mois de l'été qui suivit, mois de vacances, temps privilégié sans exigences ni pressions, je continuais mes lectures, de nuit comme de jour, ainsi que ce travail d'introspection qui, à n'en plus douter, portait fruit.

Puis les chaudes journées d'été se sont envolées, faisant place à l'automne, temps des récoltes et des mises en conserve. Quelques maigres heures de sommeil par nuit, et encore pas toutes les nuits, quelques prises de conscience et la découverte de cette passion barbare qui m'habitait, là était l'essentiel de mes propres récoltes en cette fin d'été. Mon corps, lui, n'était toujours qu'un champ de douleur, et mon dos, sous le poids des fautes que je m'attribuais, aggravé par le silence de mon père, continuait à se voûter. Je traînais en plus avec moi un état d'affliction permanent, qui me collait littéralement à la peau, et une irritabilité qui me rendait pour ma famille bien difficile à supporter.

Dans l'endroit de villégiature où je m'étais retirée pour mes vacances, j'avais remarqué, à l'écart de tout bâtiment, en pleine forêt, un petit chalet, qui servait de lieu de prière et de recueillement. Sa forme arrondie, sa petite taille, la simplicité de sa décoration intérieure, tout m'attirait. À la fin de mes vacances, je décidai d'aller m'y recueillir pour sentir l'effet qu'un tel lieu pouvait avoir sur moi. Pour y être vraiment seule, je choisis l'heure où la plupart des gens prennent leur repas. Assise, en position de méditation, ma respiration placée dans le bas de mon ventre, je me mis à respirer consciemment et profondément dans l'espoir de pénétrer tout au fond de moi pour y trouver quelque chose de nouveau qui pourrait orienter mon prochain pas vers ma délivrance. Après un long moment d'intense recueillement, mon ventre s'anima et un violent désir de crier s'empara de moi. Désir de crier pour sortir de mon enfer, désir de crier pour retrouver ma peau, mon identité. Désir d'expulser hors moi ce père, ma souffrance, tout ce qui me tuait. Désir de crier de toutes mes forces mon retour à la vie. Que je sois bonne ou mauvaise, que je sois coupable ou non, peu m'importait, j'avais suffisamment payé, expié. Je n'en pouvais plus. JE N'EN VOULAIS PLUS !

Dehors, dehors, pour l'amour du ciel ! Tout le monde dehors ! Délivrez-moi !

Une inspiration profonde précéda une expiration qui descendit jusqu'au bas de mes reins, pour aller cueillir ce cri libérateur. Et il jaillit de mon ventre, phénoménal, d'une puissance et d'une longueur qui dépassaient tout ce que j'aurais pu penser être capable de faire. Tel un volcan en éruption, il balaya tout sur son passage, fit voler en éclats les détritus qui étouffaient mon arbre, qui se redressa, fier de la puissance de ce cri né de son désir de me voir renaître.

Après le cri, mon état ne s'est guère amélioré, mais j'étais contente de l'avoir poussé, de l'avoir entendu, d'avoir senti dans mon ventre la puissance de vie qui m'habitait. Avec lui naquit en moi la conviction que j'allais guérir, que je retrouverais le plaisir de voir chaque matin la lumière du jour apparaître. Un tel cri ne pouvait, me semblait-il, provenir que de territoires insoupçonnés à l'intérieur de moi, qui me rendraient prochainement «maître» de ma vie. Il me motiva pour trouver tous les moyens d'y parvenir.

Sur le chemin de vie

Quelques semaines plus tard, alors que j'étais de nouveau alitée, cette fois pour un œdème pulmonaire, un souvenir datant de mon adolescence refit une fois de plus surface. Il évoquait le jour où ma famille avait franchi la porte de ma chambre d'hôpital, juste à mon réveil. Je venais de subir une intervention chirurgicale au visage qui allait me laisser plusieurs jours défigurée. La banalité de ce souvenir m'aurait fait douter de son importance, s'il ne s'était pas si souvent imposé à ma mémoire. Ce jour-là, suffisamment intriguée par sa réapparition, je finis par me décider à aller « voir ». Cela me prit du temps pour décrypter qui, de ma famille, faisait naître en moi une émotion. Je finis par m'arrêter sur mon père. Son attitude austère et son visage cette fois-là si dur, si fermé m'interpellaient. Dans l'espoir de savoir ce qui l'habitait en cet instant, je me mis à l'écoute de ce qui émanait de lui, comme j'avais l'habitude de le faire quand j'interrogeais la matière, ou le corps de mes élèves, en dépassant leur apparence pour mieux les rejoindre. Le temps passait et je ne décodais rien de spécial ; je relâchai quelque peu mon attention et, tout à coup, je vis le corps et le visage de mon père bouger. Les bras ouverts, tendus, le regard fou, il criait à qui voulait l'entendre : « Aimez-moi, aimez-moi ! »

Ainsi mon père, ce héros, mon héros, capable de faire trembler le monde puisqu'il me faisait trembler, n'était qu'un homme-enfant, fou de douleur, qui criait à tout vent « aimez-moi, aimez moi ». La fillette en moi se sentit tout d'abord très déçue de la chute de son idole, puis très triste pour lui, et un sentiment tout nouveau pour elle, de tendresse pour lui, l'envahit.

L'enfant si souffrant qu'il avait été était donc encore si présent en lui qu'il ne pouvait faire autrement que de le cacher derrière cet autre personnage si redoutable qui tenait, par sa seule apparence, son monde à distance? Ses lèvres pincées, ses traits crispés, son air contrarié qui parfois se changeait en rage, en colère exprimée, étaient sa façon à lui d'aboyer, pour défendre, protéger l'enfant qui l'habitait encore. Mais c'était aussi sa façon de le venger de tous ces «autres» dont il avait eu si peur. De ses «frères» symbolisant sa demi-sœur qui lui avait, par sa naissance, retiré sa sécurité, mais aussi de ces «autres» symbolisant sa mère et son père qui l'avaient chassé, rejeté, le privant pour toujours d'affection et d'amour parental. J'étais bouleversée.

Je pouvais, à la lumière de cette découverte, m'expliquer son attitude et ses traits, à mon réveil après la chirurgie. Ainsi, la vue de mon visage défiguré et de la souffrance qui s'en dégageait, ajoutée à ma solitude intérieure que peut-être il ressentait, avait interpellé sa propre souffrance cachée et l'avait démasquée. Je réalisais avec stupéfaction que sa fragilité était semblable à la mienne. Inconsciemment, tous deux, nous quêtions à la ronde le même amour. Sa souffrance était ma souffrance qui, tel un lien secret, m'enchaînait à lui. Le visage de l'enfant dans le film à l'origine de ma chute dans l'enfer me revint en mémoire. Il exprimait notre souffrance, notre désarroi, notre rejet.

Intolérable souffrance que ces appels de reconnaissance, ces demandes d'amour jamais entendues.

Nous sommes, j'en suis sûre, des milliers à hurler de la sorte. Qui n'a pas au fond de soi un enfant mal aimé qui, toujours assoiffé, est facile à tromper? Oui, nous sommes vulnérables et nous nous protégeons, et parfois même nous aboyons par peur d'être de nouveau blessés, par peur du pouvoir que nous attri-buons aux «autres», par peur aussi d'être abusés par d'autres humains aux aguets qui, connaissant ce manque, peuvent à loisir nous réduire en esclavage en manipulant l'espoir que nous nour-rissons tous d'être un jour rassasiés d'amour.

C'est ainsi que, sans le savoir, une partie de moi était soli-daire de mon père et l'aimait. Oui, elle l'aimait à la folie au point d'accepter d'en mourir. Mais une autre partie de moi était terro-risée à l'idée d'un tel sacrifice et ne voulait à aucun prix s'y résigner.

Ma souffrance identique à la sienne me laissait entrevoir comment elle lui reflétait ce qu'il cherchait à cacher et qu'il refusait de voir. Je réalisais que cela ne pouvait que grandement alimenter son ressentiment envers moi. Je compris aussi que cette identification qui me liait viscéralement à lui me donnait une perception erronée du monde qui m'entourait. En effet, ma vision des autres se faisait à travers sa propre crainte, que j'avais, comme sa souffrance, épousée. Ce jour-là, je fis un pas décisif sur le chemin de l'autonomie, en dissociant sa peur de mes peurs, sa souffrance de mes tourments.

Lettre à un père

Quelques mois plus tard, j'éprouvai l'envie irrésistible de lui écrire. Je pouvais maintenant le faire, je n'en avais plus peur. Nous allions pouvoir peut-être nous réconcilier et, qui sait? peut-être même pourrais-je me pardonner et lui pardonner d'être et d'avoir été ce que nous étions et avions été l'un pour l'autre.

Je lui écrivis ma «re-connaissance» pour nos qualités com-munes, mon chagrin d'enfant si semblable au sien. Je lui écrivis que j'avais découvert son jardin secret où il aimait se réfugier : la musique. Je lui exprimais ma joie et ma fierté, faites de sa joie et de sa fierté quand il jouait de sa trompette devant «le monde» à l'occasion de fêtes. Je lui fis part aussi de mes pleurs, pour toutes ces années où nous ne nous sommes pas rencontrés, où nous ne nous sommes pas aimés, où je pestais d'être sa fille, où je le reniais. Je lui fis part de ma tristesse pour avoir dû, comme lui, m'assumer toute seule, et à quel prix je l'avais fait. Ce prix, je le connaissais maintenant, il comprenait l'absence entre nous de joies, de plaisirs partagés, d'élans du cœur, de marques d'attention et d'affection qui donnent à la vie sa valeur et sa vraie saveur.

J'ai su, dans cette lettre, ouvrir mes mains, tendre mes bras vers lui et lui dire à quel point je l'aimais, que je l'avais toujours aimé. En l'écrivant, je me suis fait beaucoup de bien. Cette lettre contribua, sans que j'en sois consciente, à me rapprocher beaucoup de mon arbre.

De l'influence des rayons gamma sur le comportement des marguerites

Sa réponse ne se fit pas attendre, il me téléphona dès réception de ma lettre. Il insista pour que je vienne le voir sur-le-champ. Il me dit à quel point il était touché, à quel point il se faisait une joie de me revoir.

Nous nous sommes retrouvés, pour notre malheur ou pour notre bien, sur son territoire, dans sa maison. On ne peut rien contre la force des habitudes; à son âge, dans cette maison témoin de tant d'orages, de tant de discordes, de tant d'incompréhension, il n'a pas pu ou n'a pas su changer comme cela, du jour au lendemain, de comportement vis-à-vis de moi. Tout mon espace se trouva de nouveau surinvesti par lui. Il ne pouvait s'empêcher d'être ce père tyrannique, possessif, que je connaissais si bien mais que j'étais décidée à ne plus supporter. Littéralement, j'étouffais. De nouveau mon sommeil en souffrait. Rassemblant mon courage, je choisis de lui dire la vérité. Je lui ai expliqué, avant de le quitter, que rien de ce qui m'animait n'était dirigé contre lui, que c'était mon équilibre que je voulais sauver. Je lui dis que je voulais partir, mais rester en bons termes avec lui, surtout pas nous fâcher, que j'acceptais de le revoir avec plaisir ailleurs, sous un autre toit, car je l'aimais vraiment. Il m'a écoutée parler, ne m'a fait aucun commentaire, ne s'est pas mis en colère. À l'aéroport, nos gorges serrées nous rendaient incapables de parler. Je savais avec certitude que je ne le reverrais jamais plus ; peut-être le savait-il lui aussi. La chaleur de son adieu m'a permis de croire que je ne me trompais pas, mais aussi que nous nous étions quelque part réconciliés. Cela était bien ainsi. Je pouvais commencer mon deuil. L'annonce de sa mort un an plus tard ne m'a rien fait. Elle était dans l'ordre des choses de nos vies. Nous nous étions déjà dit adieu.

15

Une aventure en terre humaine

Les récentes découvertes sur ma relation avec mon père, ma visite chez lui et la qualité de nos adieux le rendirent moins menaçant à mes yeux, ce qui eut pour conséquence d'améliorer considérablement mon sommeil. Elles me donnèrent de plus l'envie de me compromettre davantage, en demandant de l'aide si elle s'avérait nécessaire, pour poursuivre mon enquête sur mes émois passés. Je voulais connaître ce faux je qui s'était forgé au fil des années pour me défendre des aggressions dont je m'étais cru l'objet. Je me promettais ainsi à moi-même un temps nouveau fait de plaisir à vivre et non plus à survivre.

Le labyrinthe du cœur

M'attribuant l'indispensable loupe de Sherlock Holmes, je me mis à scruter avec ténacité ma vie d'enfant, de fillette et d'adolescente. Sur ce chemin du retour vers moi-même, j'ai pris soin, en me penchant sur chacune d'elles, de les écouter tour à tour me raconter et, si je les ai entendues pleurer, j'ai cherché à les consoler, avec parfois le secours de thérapeutes, fidèles et indispensables guides et compagnons dans cette aventure en terre humaine.

Ce voyage au pays de l'inconscient, auquel je me conviais, m'entraîna dans son labyrinthe fait de mille et une pistes, de voies sans issues, d'obstacles en apparence infranchissables, de portes hermétiquement closes, dont les gardiens des seuils, porteurs de tant d'énigmes, réclament chacun leur mot de passe.

Ce labyrinthe est bien celui du cœur. Nous n'y trouvons trace que d'amour déçu ou contrarié, d'amour-propre mutilé ou bafoué, de cœurs qui se sont sentis rejetés ou abandonnés. Vouloir parcourir ce long labyrinthe qui se crée au sein de notre famille, tout au long de notre enfance, demande un acte de volonté de la part de celui qui choisit de s'y retrouver. Acte de volonté qui ne dépend que de soi, qui nous fait décider d'utiliser nos facultés pour nous intérioriser, pour arriver à dépasser nos résistances et même pour accepter l'inacceptable. Pareil à l'enfant qui, une fois debout, décide ou refuse d'utiliser ses possibilités motrices pour faire ses premiers pas, nous choisissons, ou pas, de nous remettre debout et de remarcher sur ces sentiers chargés de nous humaniser et où nos pieds se sont tant écorchés.

Mais s'engager à découvrir le contenu de notre inconscient et la façon dont celui-ci nous manipule à notre insu demande aussi d'accepter d'être transformé. Or, toute transformation nous confronte chaque fois à nos peurs. Peur de l'inconnu, peur que nous soit révélé le petit monstre du labyrinthe, cet enfant blessé, tapi au fond de nous et qui se tient caché. Petit monstre car à notre insu il nous tyrannise en continuant inlassablement à nous imposer, alors que nous sommes parvenus à l'âge adulte, ses conduites d'enfant, nées de ses ré-actions face aux comportements de ses parents et qui lui ont autrefois assuré sa sauvegarde ou ses contre-attaques. Peur donc de ce que nous allons découvrir sur nous-mêmes mais aussi sur les autres, spécialement sur nos parents que nous ne voulons pas égratigner pour ne pas aggraver notre culpabilité envers eux. Culpabilité que nous traînons sans réellement savoir d'où elle vient et pourquoi elle nous habite encore. Peur de ne plus nous reconnaître dans l'étranger que nous croyons que nous allons devenir ou peur que toute transformation nous plonge dans un état pire que celui que nous voulons quitter. Peur aussi de nous faire mal, très mal, une fois de plus, une fois de trop. C'est pourquoi comme tout un chacun, souvent avec habileté, j'ai tenté maintes fois de contourner certains de ces passages obligés, que je me devais pourtant de franchir, pour pouvoir me libérer de toutes mes entraves et ainsi continuer à avancer.

Le messager

Régulièrement, depuis que j'avais retrouvé mon sommeil, mon corps moins douloureux renouait quotidiennement avec les bienfaits du travail corporel. La pratique de ces exercices me redonnait un bon enracinement, une bonne assise et me permettait de retrouver ma verticalité sans rigidité. Je retrouvais aussi, à la fin des exercices, ce bien-être du corps que l'on peut s'offrir en tout temps car il ne dépend d'aucun facteur extérieur. Ces bienfaits retrouvés, associés aux prises de conscience qui émergeaient quand j'étais en profonde relation avec mon corps, me donnaient l'assurance que je pouvais continuer à compter sur lui. J'étais prête à croire que l'homme, en écoutant les messages du corps, peut se «recréer», et construire sa maison intérieure à l'image de sa maison extérieure qu'il est fier de réaliser. Maison extérieure, maison intérieure où il peut par la suite en toute sécurité venir se ressourcer quand il est en manque de vitalité.

Mon corps fut donc de nouveau le plus important de mes complices. Il orchestra tout mon parcours labyrinthique. Il fit surgir, par ses tensions et ses cris de douleur, bien des énigmes. Il m'aida aussi à leur résolution en me guidant dans le choix des thérapeutes et des pistes à suivre, et m'engagea même dans des voies sans issue qui m'obligèrent à descendre plus profondément en moi-même. Il sanctionna aussi mes progrès et mes pas, quand ils étaient à l'endroit, en me manifestant, par un relâchement de tension et un plus profond sommeil, le bien-fondé de ma démarche et de mon discernement.

Le livre d'images

Ainsi, en plus de faire des exercices qui restauraient mon corps, je décidai de consulter un thérapeute pour mieux comprendre le sens de ses douleurs. Le thérapeute, totalement approprié pour ce genre de travail et que je rencontrai «par hasard», me fit découvrir à l'intérieur de moi un livre d'images qui ressemblait à s'y méprendre à un album de photos de famille. Avec mes proches et mes amis, il m'arrivait parfois de regarder le mien car j'aimais, en leur compagnie, en tourner les pages, m'y reconnaître et surtout évoquer tous ces événements passés que je commentais avec humour. Je me rafraîchissais ainsi la mémoire en prenant soin de bien choisir mes pages pour y choisir mon passé. Mais les pages les plus intimes, les plus émouvantes de ce livre, c'est bien avec ce thérapeute que j'ai appris à mieux les regarder. Le travail de décodage que j'entrepris avec lui ne m'était cependant pas totalement étranger. J'avais déjà toute seule pressenti comment on pouvait, à partir d'une image, recueillir les émois secrets d'un visage, la portée d'une parole non dite. Mais lui me donna les clefs nécessaires pour avoir accès à tout le contenu inconscient des photos les plus traumatisantes imprégnées sur le papier de ma mémoire.

À partir d'un événement présent qui avait provoqué chez moi un comportement inadapté, il me guidait pour remonter dans le temps — du plus loin que je me souvienne — afin de laisser émerger une scène passée où j'avais déjà manifesté un tel comportement. À partir de cette évocation, je sélectionnais, dans la séquence d'images présente dans mon souvenir, l'image la plus traumatisante. Ensuite, il me guidait pour que je la regarde sous différents angles. C'est ainsi que j'appris à recueillir, à partir de chaque changement de perspective, des trésors d'informations sur ce qui animait tous les acteurs de ces scènes, mais aussi sur mes anciens émois inscrits dans mon corps.

Une fois révélé, une fois éclairé et interprété, le contenu inconscient de chaque photo perdait sa charge émotive. J'appris aussi avec lui à évacuer certaines de mes croyances et à reprogrammer mon inconscient en créant d'autres images plus appropriées à la vie que je voulais avoir. C'est avec ce procédé que je pus me libérer, par exemple, de la prophétie traumatisante du jeune Indien de Londres.

Ô stupide inconscient, que d'énergie ai-je investie et gaspillée par ta faute pour me défaire d'utopiques peurs, d'utopiques désirs !

Ah ! merveilleux inconscient, qui par son emprise nous oblige à nous compromettre dans des actes qui font de nous des « grands », et d'autres fois des « petits ».

Cet inconscient que j'avais pendant tant d'années refusé de rencontrer et qu'avec ruse, bien des fois, j'avais repoussé, mon corps, grâce à ce type de travail bien peu conventionnel, me le livrait désormais avec de plus en plus de facilité. Maintenant que je connaissais le procédé, il m'arrivait souvent de mettre à profit l'immobilité de mon corps, pendant les longues heures que je passais alitée, pour l'interroger. Bien entraînée à ce jeu de la vérité, de ma vérité, je me coupais ainsi momentanément du monde extérieur pour concentrer toute mon attention sur la partie de mon corps qui criait sa douleur. Ensuite j'attendais — sans attendre — que l'émergence d'une émotion, associée à une image, témoin visuel d'un instant particulier d'un événement passé, vienne m'instruire. Les liens que j'établissais alors entre passé et présent, entre signes et symboles, entre paroles et langage du corps me permirent, par exemple, de déceler le conflit très ancien qui se logeait dans les douleurs de mes bras, et tout particulièrement de mon bras droit, chaque fois que je me posais un défi qui obligatoirement faisait appel à l'acte même de créer.

Un jeu bien innocent

C'est en me laissant «devenir» la douleur de mon bras que je me mis un jour, sans le décider vraiment, c'est-à-dire sans mon «vouloir à tout prix», à m'interroger sur cette force érotique, commune à la sexualité et à la créativité, qui avait pu, qui sait? être affectée par ma relation à mon père. Force érotique, pulsion libidinale où prend sa source le désir d'aimer, mais aussi le désir de créer. Désir qui traverse les périodes orale, anale et génitale de chaque enfant en le confrontant à son besoin d'aimer, de faire, et à son fantasme de «faire l'amour» (période œdipienne) avec le parent du sexe opposé. Assez vite, un souvenir se détacha de ma mémoire. Il me donna son image, et la curiosité de la regarder sur tous ses angles.

Je revoyais mon père inviter mon fils, alors âgé de quatre ans, à venir faire un bras de fer avec lui. Je le revoyais avec son bras droit plié, le coude appuyé sur la table, le biceps gonflé, le poing serré. Je me souvenais aussi que je l'avais vu plusieurs fois proposer à des enfants du même âge de venir se mesurer à lui et que moi-même, enfant, j'y avais goûté. Avant chaque partie, il demandait toujours à son jeune «adversaire» de venir toucher son biceps pour sentir combien il était dur et donc fort. Je le revoyais nous provoquer, nous inviter à venir l'affronter. Pauvres enfants que nous avons tous été, avec nos biceps ridiculement petits, nos bras imberbes et nos petits poings serrés! En descendant un peu plus profondément en moi-même, j'ai retrouvé toute une gamme de sentiments liés à ce face-à-face. Je ressentais le désenchantement mêlé de rancœur de la petite fille qui ne parvenait pas à vaincre ce père et qui se promettait d'y parvenir quand elle serait grande. Mais promesse recouverte par son contraire, fait d'un désir tout aussi puissant qui lui laissait espérer qu'elle n'y parviendrait pas pour garder à jamais la fierté d'avoir un «surhomme» de père, tant il lui semblait fort et invincible.

En me réinvestissant dans ce «jeu pour enfant», je commençais à entrevoir également un tout autre contenu qui avait dû marquer profondément la fillette que j'avais été. En effet, le bras synonyme de force était aussi porteur de cette main terriblement large qui l'avait battue. Je pouvais également voir, dans la forme de ce bras replié, de ce poing serré, de ce biceps gonflé, l'image d'un phallus. Phallus à la fois désiré et terrifiant, par sa taille et par la menace permanente de son extrémité, qu'il avait exhibé plusieurs fois sous son nez d'enfant.

Entre fiction et réalité

Peut-être qu'enfant j'avais, à travers mes rébellions, cherché à contacter ma propre force pour apprivoiser la peur de ce bras. J'associais maintenant en grande partie mon désir de provoquer mon père, de me mesurer à lui, au besoin de me libérer de cette peur et de son emprise. Désir de le dominer et de le faire taire pour ne plus craindre ce bras. Désir qui n'a cessé de m'animer et auquel j'avais succombé lors de son dernier séjour chez moi.

Je m'expliquais ainsi les fréquentes douleurs ressenties dans mes bras qui étaient dues à un excès de tensions. Je comprenais mon goût pour les défis, pour l'acte même de créer qui sublimait ce désir incestueux interdit. Peut-être même que se trouvait également là une des raisons inconscientes qui m'avaient forcée à me défaire au plus vite de ma passion pour mon prince. Cet amour démesuré faisant réapparaître sur la scène de mon théâtre psychique ce lourd conflit intérieur entre mon désir d'aller par amour vers « l'autre », représentant symbolique de mon père, et celui de ne pas y aller afin d'échapper au danger que tout amour fou pouvait représenter pour ma vie.

En coulisse

Au moment même où j'écris ces lignes, mon bras droit me fait justement atrocement souffrir. Je sens qu'il est cette partie de moi qui ne veut pas écrire, qui s'oppose à ce livre. Il ne veut ni dénoncer ce père, ni parler de ma haine-amour pour lui, ni dévoiler ma mère. Il voudrait que je sois comme elle, elle qui savait se taire, ne jamais se plaindre. Il se sent humilié. Replié sur lui-même. Seul dans son désespoir, il rumine sa peine, qu'il ne veut avouer, de peur de se perdre.

Il est aussi cet enfant abusé qui ne veut pas évoquer les agressions dont il a été l'objet. Il veut à tout prix protéger ce père puisqu'il est de sa lignée. Une lignée dont il sait que ce père a lui aussi été victime.

Il ne peut non plus l'accuser sans s'accuser lui-même d'avoir, quelque part sans doute, mérité tous ces coups.

Il ne sait pas que tous ces coups reçus sur la tête, ces insultes, ces menaces, ces peurs ont été une atteinte à sa vie.

Il ne sait pas qu'il n'y a pas de différence entre ce type d'agression et l'agression sexuelle ou celles provoquées par d'autres désirs d'adultes pervers.

Il ne sait pas que toute agression est une atteinte à l'intégrité du corps, un handicap à la formation saine du moi et du je. Pourquoi ne veut-il pas dénoncer le coupable? A-t-il encore peur des représailles?

L'adulte en moi tente de le convaincre qu'il est juste et bien qu'il en témoigne, pour que chacun prenne conscience qu'aucun interdit, abus ou privation n'est anodin pendant la croissance d'un enfant, que toute agression laisse ses traces, que cela prend du temps, souvent toute une vie, pour les estomper, se réparer pour pouvoir enfin «faire» sa «vraie» vie.

Dans le creux de l'oreille

Cette méthode d'exploration de l'inconscient que j'ai appliquée soit avec ce thérapeute, soit par moi-même m'a fait avancer à grands pas. Pourtant, très vite elle m'a laissée insatisfaite. En fait, l'application systématique que ce thérapeute en faisait me donnait l'impression que mon inconscient était comme un ordinateur qu'il suffisait de reprogrammer. Me sentant d'une certaine façon de nouveau traitée en paquet, je décidai simplement d'arrêter mes séances sans prendre le temps d'explorer pourquoi mon choix s'était arrêté sur ce thérapeute et si cette «absence» de relation avec lui avait un sens pour moi, compte tenu de mon histoire.

Avec le recul et l'expérience acquise, il me faut avouer que je crois de moins en moins au seul savoir des méthodes et des différentes écoles de pensée pour soigner la psyché et même le corps. Je crois que la relation thérapeutique ou l'absence de relation thérapeutique a valeur curative pour qui prend le temps de se questionner. À la base de cette relation, il y a le choix du client pour son thérapeute et, à travers le choix de la spécialité du thérapeute, il y a bien souvent un choix inconscient du thérapeute pour sa clientèle. Ces deux-là ont, à mon sens, quelque chose à «se dire», car au-delà du savoir qui est enseigné au thérapeute, le client et, très souvent, le thérapeute lui-même cherchent à soigner leur «soi» nié, à partir d'une communication réciproque. Léon Grinberg explique, dans son livre *Culpabilité et dépression*, la nécessité que chacun ressent inconsciemment de calmer l'angoisse profonde qui naît de la douleur et de la culpabilité sous-jacentes à la perte d'un proche parent ou face à un handicap physique ou à une atteinte psychique d'un membre de la famille. La façon de réagir pour répondre à cette partie de soi porteuse de cette angoisse sera fonction de la psyché de chacun. Certains choisiront inconsciemment le domaine de la santé, espérant ainsi pouvoir mieux la contrôler grâce à un savoir médical et un champ de pratique en relation avec ce qui les perturbe; d'autres se dévoueront corps et âme à une forme de bénévolat en relation avec leur culpabilité inconsciente, pour pouvoir à travers mille gestes réparer ce qu'ils pensent avoir d'une certaine façon endommagé.

À la recherche d'Ariane

Engagée comme je l'étais dans mon labyrinthe, il me fallait trouver un ou une autre thérapeute. Une partie de moi désirait continuer à être guidée mais une autre partie de moi résistait à l'instauration d'une vraie relation thérapeutique. Comme tout un chacun j'avais mes résistances. D'une part j'avais peur d'être confrontée au regard d'un nouveau thérapeute qui pourrait me juger, ce qui m'ôterait toute envie de m'abandonner. D'autre part j'avais peur que le contenu de mon inconscient ne me jette définitivement à terre et me rende incapable de me relever. En fait, de façon assez pathétique je cherchais dans un ou une thérapeute l'Ariane de nos mythes. Belle Ariane qui avait permis à Thésée, en suivant le fil que par amour elle lui avait donné, de sortir vainqueur du labyrinthe où il s'était engagé pour libérer la ville du Minotaure. Belle Ariane qui saurait me rassurer, m'encourager, m'aimer en tant qu'humain, même souffrante, même «mauvaise».

Cette quête inconsciente d'Ariane me fit tout d'abord pénétrer dans l'univers glacé et policé d'une thérapeute de grand renom et de grande expérience. Elle m'apparut si froide, si impersonnelle que je sentis bien vite, à son contact, mes pas incertains, ma marche laborieuse. Sa terre intérieure, que je pressentais, peut-être à tort, aride, rendait la mienne bien difficile à travailler. La distance qui s'établit dès notre première entrevue me renvoya à mon peu d'importance, au peu d'intérêt que je pensais représenter à ses yeux. À chaque rencontre, pourtant, je m'acharnais à me «montrer» pour qu'elle m'aime, pour qu'elle fasse attention à moi, pour qu'elle s'occupe de moi de façon privilégiée. Chaque fois, je sortais déçue de ne pas avoir été «regardée», de ne pas avoir réussi à briser sa neutralité que je prenais pour de l'indifférence.

Un jour où je marchais «vers» elle pour notre rendez-vous, je m'entendis lui dire dans ma tête : «S'il vous plaît, donnez-moi quelque chose.»

Cette demande réveilla en moi celle du Petit Prince qui voulait que Saint-Exupéry lui dessine un mouton pour avoir un ami afin de n'être plus seul sur sa planète. Ce souvenir noya mes yeux de larmes. En marchant me revenait en mémoire l'exigence de ses autres demandes insensées. Pourquoi l'histoire du Petit

Prince avait-elle surgi dans ma mémoire ? Pourquoi avais-je tant besoin d'un cadeau de la part de cette thérapeute ? Ces interrogations m'incitèrent à changer de destination et c'est dans un café que je choisis de poursuivre à loisir ma réflexion. Tout d'abord, il m'apparut que le savoir et la réputation de cette thérapeute ne m'étaient peut-être pas essentiels pour aller là où je devais aller, pas plus que l'histoire, la géographie et le calcul n'avaient été nécessaires à Saint-Exupéry pour dessiner un mouton au Petit Prince. Je réalisais aussi combien le contact de cette femme pendant les séances me dévitalisait, me laissait dans ma tête et surtout me mettait sur la défensive. Puis, le visage de mon père s'interposa dans le cours de mes pensées. Le parallèle entre ce que je sentais auprès d'elle et ce que j'avais senti enfant auprès de lui me révéla combien, chez elle comme chez lui, je quêtais une reconnaissance à travers mes demandes. Oui, le cadeau que je voulais de la part de la thérapeute était bien cette reconnaissance. Demande envers elle bien insensée, me disait ma tête, car si je lui en parlais elle allait me répondre que j'étais la seule à pouvoir me donner cette reconnaissance. Mais comment me la donner ? Comment arriver à ce que mon inconscient cesse de la chercher constamment dans les mots, dans le regard de « l'autre » ? Là était justement le problème.

De retour chez moi, je relus avec délectation l'histoire du Petit Prince et, la semaine suivante, il me donna son courage et sa témérité pour avouer à cette thérapeute que j'avais mis le doigt sur la raison principale qui me poussait à venir la voir, mais aussi sur ma lassitude à parler à sa chaise où trônait son corps impassible, sans chaleur, sans chair, et donc sans vie.

Au jeu du miroir

La thérapeute suivante que je choisis fait partie de ces mêmes fausses erreurs dont je ne puis me blâmer et qu'il me plaît de raconter car elles m'ont fait avancer.

Notre première rencontre commença par un lapsus freudien tellement révélateur que j'aurais dû le prendre en compte encore plus promptement que je ne le fis. En effet, après l'avoir saluée, j'exprimai mon désir de travailler ma relation à ma mère en ces termes, qui s'échappèrent bien involontairement de ma bouche : «Je voudrais que vous soyez ma mère…», puis nous avons commencé notre premier entretien, qu'elle ponctua à la fin d'une phrase laconique où je perçus que j'avais encore beaucoup à faire pour aller mieux. Je la quittai assez démoralisée, mais ne remis pas en cause mon choix car, bien sûr, je savais que je n'étais pas arrivée au bout de mes peines. Les semaines suivantes, nos entretiens se terminèrent tous sur le même ton larmoyant et sur la nécessité que j'avais à accepter de pleurer et de sortir toute ma souffrance qui était, selon ses dires, immense. De plus en plus déprimée, de plus en plus confuse, j'acceptais cependant de continuer avec elle, pensant que, peut-être, cette déprime était salutaire. À la veille d'une nouvelle rencontre, après une nuit d'insomnie, un cri de révolte naquit dans mon ventre et jaillit en même temps que la conscience claire qu'elle était bien ma mère, au-delà de tout ce que j'aurais pu souhaiter. En effet, c'était bien ma mère qui me parlait à travers elle, même voix, même ton de reproche. Toutes ses interventions, je les accueillais comme autant de récriminations maternelles qui n'avaient jamais vraiment tenu compte ni de mes efforts, ni de mes réalisations, ni enfin de qui j'étais.

Comprenant mon transfert grâce à la participation active de la propre nature de cette thérapeute, je me suis rendue à ma nouvelle séance, non pas pleine de l'envie de pleurer sur tout le «mal» que l'on m'avait fait, mais remplie de jubilation à l'idée de pouvoir la rejeter, sans culpabilité, elle, cette mère en bonne santé que je pouvais me payer.

Ce rejet inespéré me libéra quelque peu des auto-reproches que je me lançais en toute occasion, comme autant de pierres chargées de me tuer. Mais tout le dommage causé par l'emprise de ma mère sur ma personne demeurait à mes yeux encore bien caché et restait d'une certaine façon inaccessible, car en super-posant à chacune de nos mères l'image de la mère archétypale, nous leur conférons un caractère sacré qui les rend inattaquables.

Il faut avoir établi des appuis intérieurs bien solides pour oser détrôner cette idole, blasphémer contre son culte et découvrir, derrière sa mère, l'humain, la femme qu'elle est aussi, victime comme tout le monde de ses propres frustrations, de ses propres refoulements, qui provoquent chez elle, inévitablement, des sentiments ambivalents d'amour et de haine envers ses propres enfants.

L'ennemie dans l'ombre

Ce fut bien des années plus tard que je réussis à mettre à jour les effets du mauvais maternage de ma mère, qui n'avait inscrit en moi aucune réelle protection, aucune croyance en ma bonne étoile, à mon droit au bonheur. Ce que le langage psy-chanalytique traduit par une absence totale de confiance de base.

Curieusement, c'est à l'occasion d'un cadeau somptueux que je décidai de m'offrir que j'en pris conscience. Mon corps se mit en effet à manifester, par des signes cliniques, sa résistance à ce bonheur à venir. Je ne tins aucun compte du diagnostic médical et demandai plutôt à consulter en psychothérapie. J'avais, au moment où cet événement se produisit, suffisamment d'expérience dans ce domaine pour douter que mes nouveaux problèmes de santé puissent être psychosomatiques. En séance, je découvris que ce n'était pas la première fois qu'un grand bonheur dans ma vie engendrait de grandes souffrances physiques. C'était comme si, quelque part, il me fallait soit en payer le prix, soit éloigner, en le déviant sur mon corps, un quelconque pouvoir maléfique venu de «l'au-delà» susceptible de s'attaquer à ce que je désirais le plus au monde. Mon attitude ressemblait étrangement à celle de ces oiseaux qui, sentant leur couvée menacée par la presence de l'homme ou d'un prédateur, font tout pour attirer l'attention sur eux afin d'éloigner l'intrus du nid qu'ils veulent protéger. Mes souffrances étaient aussi un moyen d'appeler pour l'attendrir cette mère univers, archétype de la mère et à qui je prêtais les traits de caractère de la mienne. De cette façon je la suppliais d'être clémente à mon égard; je l'appelais comme autrefois j'appelais ma mère en me blessant, pour qu'elle ait pitié de moi, qu'elle accepte de venir s'occuper de l'enfant malade que j'étais, ce que ma mère avait fait parfois, mais toujours apparemment sans plaisir, sans élan de tendresse.

De retour chez moi après ma séance, le chagrin de la nouvelle-née, de la fillette délaissée, de l'adolescente mal aimée remonta, énorme, imprévu. Il m'inonda. Pareil à un énorme nuage noir lourd de pluie qui crève subitement de toutes parts, je me suis mise à pleurer, sans retenue, ma tristesse, mon abandon, ma détresse d'enfant mal entourée, mal élevée par cette mère.

J'ai pleuré sur mon absence de souvenir de gestes tendres, aimants, envers la fillette si souvent malade que j'avais été. J'ai pleuré sur ce nom de «maman» qui n'évoquait pour moi aucune chaleur et que pourtant, quand tout va mal, je ne peux encore m'empêcher d'implorer. J'ai pleuré sur ses bras, qui ne m'ont jamais entourée, ni serrée, ni bercée, qui ne m'ont jamais servi de refuge. J'ai pleuré sur sa peau dont je ne connais pas la douceur, sur l'absence de récompense aussi. Tous ces manques, malgré les efforts que j'avais déployés pour apprendre à être ma «bonne» mère, continuaient sournoisement à miner ma vie. Je pleurais, je pleurais tout simplement à chaudes larmes sur mon humanité.

Mon arbre, pourtant si amoché lui aussi, avec compassion m'enlaça de ses branches. Il connaissait la profondeur de cette blessure. Il savait ma douleur. Tendrement, il m'a dit que j'étais belle, qu'il était grand temps que je cesse de me croire mauvaise, que le bonheur était aussi pour moi. Et quand, hébétée par la violence de mes pleurs, je lui demandai : «Quel jour sommes-nous ?» doucement il souffla sur mon cœur cette chanson de Jacques Prévert, qui m'assurait de son amour pour moi :

Quel jour sommes-nous ?
Nous sommes tous les jours, mon amie,
Nous sommes toute la vie, mon amour.
Nous nous aimons et nous vivons,
Nous vivons et nous nous aimons
Et nous ne savons pas ce que c'est que la vie,
Et nous ne savons pas ce que c'est que le jour,
Et nous ne savons pas ce que c'est que l'amour.

Bas le masque

Comment ma mère avait-elle pu me donner tous ces «riens» ? Je ne savais que répondre. Pourquoi l'avait-elle fait ? Peut-être agissait-elle comme sa propre mère l'avait fait envers elle ? Mais en me souvenant de l'histoire de sa propre enfance, je retrouvai certains éléments capables d'éclairer le comportement de cette femme en apparence si dévouée à ses enfants, si soumise à son mari.

Le père de ma mère décida, lors de la naissance de sa deuxième fille (juste après ma mère) qu'une fille c'était suffisant dans sa famille. Il garda ma mère et donna sa sœur à une tante. Comment ma mère a-t-elle interprété ce choix et le prix à payer pour avoir été gardée, pour avoir même indirectement été la cause de l'abandon de sa sœur? Comment a-t-elle vécu auprès de ce père capable d'un tel manque de cœur? A-t-elle senti sa vie menacée? Était-ce pour cela qu'elle a toujours plié devant lui, puis ensuite devant son mari? Où s'en étaient allés tous ses renoncements, ses frustrations, ses pulsions de vie si souvent détournés? Tout ce potentiel énergétique jamais libéré, toujours réprimé par son père, puis plus tard par son mari avait bien dû trouver une échappatoire, pour lui permettre de rester pendant de nombreuses années «suffisamment» saine d'esprit et de corps? L'issue de sa propre révolte jamais exprimée m'apparut. La violence de sa contestation, de sa rébellion avait pris la forme d'une violence passive adressée à toute sa famille, y compris à elle-même. En ne nous donnant pas d'affection, en n'ayant pas d'élan, surtout envers ma sœur aînée et moi-même, en ne répondant pas à nos demandes, inconsciemment elle se vengeait. Mesures de rétorsion d'autant plus efficaces qu'elle était, pour tous nos autres besoins, irréprochable. Nous étions ses filles, mais celles aussi de ce mari qui lui menait la vie dure. Pourquoi, par exemple, était-elle restée indifférente à mon esprit d'entreprise, à certaines de mes qualités que jamais elle ne louait et qui ne manquaient pas de lui rappeler celles de son mari ? Pourquoi ne m'a-t-elle jamais félicitée pour mes succès? Pourquoi n'a-t-elle jamais partagé mes joies? Pourquoi brimait-elle ma témérité?

Je ne veux pas répondre à toutes ces questions, car je ne veux pas l'accabler ; elle est ma mère. Mais le voile est tombé. L'image de la femme qui s'est sacrifiée pour ses enfants s'est beaucoup abîmée, et mon corps se sent, lui, beaucoup mieux depuis.

Ariane, mon amie

Je finis par être prête à la rencontrer, cette Ariane qu'il me fallait. Bon nombre de ses propres tourments lui avaient permis de grandir et lui avaient donné, en plus de son savoir, ce regard plein d'humanité que je souhaitais. En toute sécurité, je pouvais maintenant cheminer à ses côtés. Elle avait une bonne connaissance du terrain et savait orienter mes pas. Elle me reflétait mes dires, accueillait mes émois et les perceptions de mon corps, pour m'aider à dérouler et à démêler mon fil. Bien tenue, bien soutenue et contenue par elle, j'avançais.

Puis un jour, je me suis retournée par mégarde et j'ai découvert une partie de mon ombre. Avec méfiance, je m'en suis approchée. Elle était faite, à mon grand étonnement, de mon Rien. Un rien plein de tout mon potentiel. Ce Rien fait de ce Tout était masqué par l'autre «rien du tout» de mon père qu'il avait confirmé après mon échec universitaire. Depuis ce temps-là, en société, je ne m'étais jamais accordé la moindre valeur, y traitant mon Rien comme un «moins que rien», ce qui m'enlevait, bien entendu, toute estime de moi-même face aux «autres». Ces deux riens confondus me faisaient osciller de haut en bas. Ainsi, quand j'étais seule, tournée vers moi-même, c'était mon Rien qui vibrait en moi. Il me donnait la conscience claire d'une plénitude qui jamais ne me laissait craindre la solitude et qui me donnait même l'assurance que j'étais quelqu'un, peut-être même quelqu'un de «bien». Mais quand j'étais au dehors, c'était le «rien» de mon père qui prenait toute la place et me donnait en tout temps l'envie de me cacher, de m'éclipser au plus vite ou de me blâmer à tout propos. Bien malicieusement, mes deux riens jouaient à l'intérieur de moi au jeu du yoyo, me rendant incapable de trouver ma juste place.

Pour stopper le jeu pervers

Jeu pervers, que ce jeu du yoyo à l'intérieur de nous que nous acceptons pourtant de jouer inconsciemment, car la souffrance qu'il procure est parfois paradoxalement très gratifiante à nos yeux. En effet, certains d'entre nous aimons la sensation que procure la fausse humilité de se considérer comme un «rien» devant «l'autre». Sensation indissociable de l'espoir que nous cultivons que cet «autre» va s'empresser de venir démentir ce jugement si handicapant sur nous-même et nous assurer que nous ne sommes pas, et de loin, un ou une «rien du tout». Comme je désirais changer de jeu, Ariane m'expliqua que pour pouvoir enfin me reconnaître, récupérer ma propre estime, ma propre valeur et me sentir enfin à ma place, je devais annuler le pouvoir que j'attribuais au «rien» de mon père. Pour cela il me fallait me servir, si cela était nécessaire, de mon imaginaire pour créer une fantaisie capable de m'aider à récupérer mon bien. J'acceptai de participer totalement, sous son regard et sa «guidance», à ce type bien particulier d'exercice. Étrangement, le mythe de Thésée me revint instantanément en mémoire et il ne me fallut que quelques minutes pour voir mon père se transformer en Minotaure, allant de pièce en pièce dans une maison à deux étages. Le cœur battant, le corps glacé, les yeux clos, je me mis à sa poursuite. M'investir dans cette scène totalement imaginaire était physiquement très exigeant et me terrifiait autant que si elle avait été réelle, mais j'étais fermement décidée à poursuivre. Prudemment, dans cette maison bizarre, je me voyais le chercher, redoutant de le voir à tout moment surgir derrière mon dos. Soudain je le vis, embusqué dans le montant d'une porte. Il était à ma merci, je pouvais enfin le tuer. En cet instant, je me souvins de l'erreur de Thésée, qui sous l'espoir de sa victoire prochaine avait négligé l'épée offerte par son père au profit de la massue, pour tuer le Minotaure. Aussi, entre la massue lourde d'ego et l'épée d'or divine, je choisis l'épée. Ce choix fut à l'origine d'une révélation : je sus que ce n'était pas mon père que je devais tuer, mais bien son verbe meurtrier. Je lui fis face et, de la pointe de mon épée, lui fis ravaler son « rien ».

Les bienfaits de cette séance ne se firent pas attendre. Mon « rien » démasqué, libéré de cet autre aspect de lui-même si péjoratif, me permit enfin de me sentir entière, de ne plus seulement me croire une « rien », une nulle, un zéro. Cela mit fin à mon attente d'être reconnue par quelqu'un. Enfin je me reconnaissais comme une bonne « bonne à rien ». Cette « bonne à rien », je me mis à la sentir et à la vivre d'abord dans tout mon corps que je sentais plus chaud, plus plein, puis dans la manière dont subitement le jugement d'autrui sur moi-même ne m'importait plus. Après avoir reconnu et accepté mon corps, je pouvais maintenant m'accepter telle que j'étais et, du même coup, élargir mon acceptation à tous les autres ; libre à eux de le faire en retour. En même temps, je réalisais la puissance du verbe et de nos jugements. L'impact positif, mais trop souvent négatif, que peut avoir une parole, un regard. Malheureusement, il n'y a pas que les armes à feu ou l'épée qui peuvent tuer un homme.

Le sac à malices

Pas à pas avec Ariane, ma thérapeute, je continuais à dérouler le fil de mon histoire. Un jour, en entrevue, je me suis penchée au-dessus de l'ouverture d'un sac. Sac à malices qui contenait les réponses, c'est-à-dire les «ré-actions» de l'enfant blessée face au rejet de ce père dominateur et aux carences de cette mère passive et absente. Ces réponses, bien qu'inadéquates maintenant dans ma vie d'adulte, étaient cependant toujours à l'œuvre.

C'est en régressant loin, très loin en arrière, en m'infiltrant dans les émois du bébé à sa naissance, que j'ai clairement senti que, pour me défendre de l'angoisse née de mon sentiment de culpabilité de ne pas être conforme au désir de mon père que me renvoya son regard, je l'avais irrémédiablement couvert de mon mépris. Mépris dont je couvrais tous ceux qui d'une certaine façon me rejetaient en me contestant. Ainsi donc, le mépris était mon arme à moi pour, à mon tour, tuer «l'autre».

Quant à mon autre réponse induite par mes carences affectives, elle fut plus longue à trouver, car elle se cachait dans le dilemme intérieur de la fillette de onze ans qui s'était coupée de ses parents. Je découvris que derrière la conviction que j'ai eu à cet âge que mes parents ne m'aimaient vraiment pas, puisqu'ils ne m'aimaient pas comme je l'aurais voulu, se cachaient à la fois un doute permanent quant à la possibilité d'être véritablement aimée par quelqu'un sur cette terre, et une rage, dont je n'étais pas consciente, qui me poussait sans relâche à réclamer chez «l'autre», pour moi-même, une forme d'amour égocentrique, exclusif, enfantin, impossible. Désir insensé toujours insatisfait et qui, au fil des années, s'était trouvé renforcé par une façon d'être qui rendait les autres impuissants à me convaincre du bien-fondé de leurs sentiments pour moi. Je ne pus que constater combien ces réponses avaient jusqu'ici asséché ma peau, pourtant si assoiffée d'amour, et m'avaient aussi bien souvent emmurée dans un profond chagrin. C'était donc là que se trouvait la clef de cette immense porte à ouvrir pour toujours, celle de mon cœur.

Un changement de cap déterminant

L'impact négatif du contenu de mon sac à malices sur moi-même d'abord, sur les autres ensuite, me renvoya à ma part de responsabilité dans certains de mes conflits extérieurs et inté-rieurs. Cette nouvelle prise de conscience me fit faire une superbe volte-face dans mon labyrinthe, ce qui eut pour conséquence de me propulser dans un lieu étrange, un inextricable dédale dont j'aurais bien voulu faire l'économie. C'est à reculons que j'ac-ceptai de m'y engager pour y reconnaître tous les mécanismes qui le composaient. Mécanismes de différenciation (dissocier ce qui est à moi de ce qui est à toi), d'identification introjective (reconnaître que ce qui est à toi, je l'ai à l'intérieur de moi) et d'identification projective (ce qui est à l'intérieur de moi, je le projette sur toi car je ne veux pas le voir).

À tout moment je risquais de rester pétrifiée au cœur de ce travail ou de m'y perdre si je refusais d'explorer minutieusement tous ces mécanismes que j'avais mis en place et qui maintenant polluaient mes relations. Que de résistances rencontrées, que de déplaisirs ressentis devant certains aspects de moi-même que j'avais jusqu'ici ignorés et que j'aurais voulu ne jamais regarder. Que de désillusions soulevées à n'être pas toute blanche, toute parfaite comme Blanche-Neige, et à découvrir qu'il y avait en moi une partie de la méchante reine qui savait se transformer en sorcière. Que de révélations brutales et déroutantes, de décon-venues, de frustrations, vécues tout au long de cette quête d'authenticité. Que de découvertes intéressantes aussi, comme ces parties communes entre «l'autre» et soi-même que l'on n'arrive pas à identifier et qui sont celles qui nous lient à lui ou à elle. C'est d'ailleurs ce type d'identification qui rend nos pertes si dou-loureuses, nos deuils si difficiles à faire.

Tout au long de ce travail sur ma psyché j'ai appris aussi à respecter mes résistances, à déceler en elles la barrière de sécurité qu'elles représentaient pour ma propre personne quand celle-ci n'était pas assez forte pour supporter la désorganisation psychique que peuvent provoquer certaines prises de conscience. Résistances qu'il faut tout d'abord accepter pour ensuite pouvoir les dépasser en comprenant leur raison d'exister. Ce travail parfois bien pénible pour mon ego, je crois bien que je n'aurais pu le mener à terme sans les yeux d'Ariane, qui me reflétaient, pendant nos entrevues, l'ouverture de mon cœur à des sentiments tout nouveaux pour moi de tolérance, d'empathie et de compassion à mon égard.

Qui parle de déplaisir parle aussi de plaisir, et j'en éprouvais à chaque obstacle franchi, à chaque changement intérieur conquis. Je m'identifiais de moins en moins à l'enfant meurtrie que j'avais été. L'adulte que je devenais prenait avec plaisir de plus en plus sa vie en main, même si, parfois, ma soif d'absolu, mon désir volontaire de changer au plus vite certains aspects de moi-même se heurtaient à la réalité de ma vie quotidienne qui rendait certains de ces changements plus difficiles à intégrer.

Le deuil de l'héritage

Je mis encore plusieurs mois avant d'entrevoir la possible sortie de ce labyrinthe du cœur. Mon arbre et moi avions toutefois fini d'y ramper dans la noirceur. Nous étions maintenant moins peureux pour y marcher debout, à notre rythme. De cet inconscient si vaste qui me tenait si occupée, il me restait encore d'autres chemins à explorer. Cependant, il me semblait très utopique d'espérer pouvoir un jour entièrement le dévoiler. Mais aussi, je sentais qu'à trop vouloir connaître et surtout expliquer la complexité de la psyché, je pouvais m'enliser dans ses méandres et passer à côté de l'essentiel qu'il me fallait connaître pour poursuivre mon chemin. De plus, j'avais acquis, pendant toute cette aventure en terre humaine, suffisamment de certitude dans le potentiel de lumière contenu dans les ténèbres de l'enfer pour ne plus craindre d'y retourner si cela s'avérait nécessaire. Peu à peu, le diabolique pouvoir de ma culpabilité persécutrice, cause de tous mes tourments, se dissipa et, avec elle, une grande partie de mon angoisse permanente face à la vie. En même temps se créait à l'intérieur de moi un espace propice au lent processus du deuil de l'héritage psychique de mes parents. Deuil de l'héritage de ce père qui, pour m'avoir transmis sa blessure narcissique, était devenu à l'intérieur de moi un père violemment destructeur et persécuteur. Deuil de l'héritage de ma mère qui, par l'absence de sentiment d'omnipotence et de confiance de base à l'intérieur d'elle-même, s'était transformée en moi en une mère mortifère inapte à protéger mon sommeil. Mes sentiments de haine et d'hostilité envers eux s'estompaient au fur et à mesure de l'élaboration de mes deuils. Je cessais aussi de les juger et de me juger chaque fois que réapparaissaient en moi des manifestations, des traces de leur propre manière d'être que j'avais introjectée. Manière d'être qui, je croyais, n'appartenait qu'à mes parents et que je pensais avoir perdue en les perdant.

Avec le temps — on ne fait rien sans le temps — ces parents terribles se sont éloignés de moi. Paradoxalement, la découverte de leur propre histoire à travers la mienne m'a rapprochée d'eux. En me réparant, j'avais sans le vouloir réparé notre relation. Pour mon plus grand bienfait, je suis redevenue leur fille en retrouvant mes racines, ma terre, mon appartenance. Puis le temps est venu où je les ai vus jouer à l'intérieur de moi dans la nudité de leur cœur d'enfant retrouvé. Jouer à se re-rencontrer, en faisant semblant, lui d'être grand et fort alors qu'elle le savait si fragile, elle, en montrant qu'elle était sage et docile, alors qu'il la devinait espiègle et très volontaire.

Aux portes du château

Bien consciente maintenant de mon histoire passée, je pouvais l'oublier en me tournant, pleine d'espérance, vers mon «à-venir». Mon dos déchargé du poids de ce douloureux vécu, mes pieds plus en contact avec la terre, mes jambes plus solides, ma colonne vertébrale redressée et bien située en son milieu ainsi que mes appuis intérieurs consolidés par tout ce travail d'introspection, me donnaient une réelle assurance. Ainsi, l'ensemble de mon corps manifestait au dehors tout le cheminement accompli par mes années de pratique corporelle et celles passées dans mon labyrinthe. Mon arbre, à travers toutes ces confrontations, avait atteint lui aussi taille adulte. La vitalité de ses branches transparaissait dans mon regard, et la légèreté de ses feuilles, dans mon plaisir à faire corps avec mon temps. Il me signifia sa satisfaction d'être enfin parvenu au bout de cet éprouvant voyage en enfonçant ses racines plus profondément dans cette Terre intérieure reconnue par moi et qui était sienne. Il était aussi heureux de me savoir arrivée au pied du château de la Mère, auréolée de la gloire du Père, tous deux d'essence divine, seuls capables d'après lui de me donner le véritable amour que mon cœur réclamait.

QUATRIÈME PARTIE

Le pas recomposé

Il n'y a pas de vent favorable pour celui qui ne sait pas où il va.

Guillaume d'Orange.

16

La force de l'expérience

D'une rive à l'autre

Par une splendide matinée automnale dont le Québec a le secret, je jouissais, et ce mot ne me semble pas trop fort, du grand soleil à travers les vitres de mon bureau, mais aussi de mon «bien» à être, enfin trouvé. À part l'état de mauvaise santé chronique, toutefois stationnaire et tolérable, de mes poumons, j'étais délivrée de tous mes autres maux. Bien dans ma peau, je me laissais soliloquer sur cette aventure intérieure que je venais de vivre et qui m'avait transformée. Avec étonnement je constatais que pendant ces quatre années de cauchemar j'avais pu suffisamment composer avec mon travail et mes temps libres pour ne faillir que très rarement à mes obligations professionnelles. Avec le recul, cela me semblait incroyable d'avoir pu assumer, parfois bien sûr dans un état lamentable, que je prenais toutefois grand soin de cacher, pratiquement tous les cours, entrevues et formations professionnelles. Quelle force invisible m'avait tenue, soutenue? Quelle présence m'avait guidée et permis de ne jamais renoncer dans mes moments de grande détresse? Je me rappelai d'un jour particulier, où mon corps était si souffrant qu'assise sur ma chaise, sans bouger, je proposai à tous ces corps venus se ressourcer ce que j'imaginais capable de soulager le mien. À la fin du cours, à ma grande surprise, bon nombre de participants me remercièrent pour ce cours qu'ils avaient beaucoup aimé et qu'ils avaient trouvé quelque peu différent de ce que je donnais d'habitude.

En remontant dans le temps, je me revoyais à Londres, où j'avais tout de suite trouvé, par l'intermédiaire d'une agence de placement, une famille qui m'avait chaleureusement accueillie et choyée. À Paris où, sans trop de mal, j'étais parvenue à me constituer la matrice qu'il me fallait pour créer. À Paris où j'avais également rencontré un cœur de Père adoptif auprès de qui j'étais devenue suffisamment adulte pour pouvoir par la suite faire face «comme une grande» aux tracas administratifs que comporte toute vie en société et qu'il m'était impossible de résoudre par moi-même avant cela. Je n'avais non plus jamais manqué d'argent. J'avais toujours eu le nécessaire, et parfois plus, pour répondre à mes besoins, mais aussi à mes désirs et même à mes rêves. Je réalisais combien, parallèlement aux tourments provoqués par les chocs de mes deux réalités, j'avais bénéficié d'une grande protection et trouvé toutes les ressources nécessaires pour me permettre de me relever et de faire plusieurs fois face à l'impossible.

L'allumeur de réverbères

Paupières closes, enveloppée de cette lumière radiante, l'envie me prit tout d'abord de remercier ardemment cet invisible, s'il existait, pour son aide et sa protection, pour ma victoire sur mes insomnies et pour la normalisation des tensions de mon corps. Puis je décidai de l'appeler pour qu'il m'aide à gagner l'étape suivante, à savoir améliorer l'état de mes poumons et avec l'aide du ciel, pourquoi pas? les guérir. Cet espoir était fondé aussi en partie sur ma lecture du *Symbolisme du corps humain*, où Annick de Souzenelle explique, entre autres choses, la symbolique de chaque partie du corps en relation avec le divin.

Il se passa alors une chose étrange. À travers mes paupières closes, je vis dans la lumière mes deux poumons, chacun coiffé d'un de mes deux pères. Mon père terrestre au-dessus de mon poumon droit, le père divin, plutôt semblable au Moïse de Michel-Ange, au-dessus de mon poumon gauche. Tournant mon regard vers cette icône de père divin, je lui dis : «Si tu existes vraiment, si toutes mes épreuves n'avaient eu pour but que de me guider jusqu'à toi, dis-moi ce que je n'ai jamais fait en tant que fille de mon père et qu'il faudrait que je fasse pour que je devienne ta fille.»

«OBÉIR.»

Le ciel me tomba sur la tête! J'étais confondue, car il me fallait bel et bien reconnaître que je n'avais jamais obéi à mon père sur une base volontaire. Bien sûr, sous les coups, je pliais, mais il en allait de mon honneur, et de ma vie aussi, de ne jamais lui obéir et de le lui faire bien sentir.

Le choc et la justesse de la réponse furent si grands que je promis, sans réfléchir. Au même instant, je ne sais par quel phénomène étrange, l'image de mon père terrestre se désagrégea, tomba en poussière en bas de mon poumon droit.

Le plus déroutant, le plus convaincant aussi, fut l'impact de cette expérience sur mes poumons. Je perçus, tout de suite après, une sensation inconnue, indéfinissable dans ma cage thoracique. Deux jours plus tard, l'état de mauvaise santé chronique de mes poumons s'était amélioré à soixante-dix pour cent, si tant est que je puisse donner un chiffre.

Un ami polonais à qui je contais cette histoire me dit dans un français hésitant : «Il est des expériences, parfois un seul rendez-vous imprévu, que Dieu nous donne pour nous faire changer de voie. À nous de faire preuve de discernement et d'accepter ces expériences pour ce qu'elles sont…»

Je reprendrais bien sa phrase à mon compte car c'est cette expérience imprévue et combien troublante qui réorienta ma vie et me mit instantanément sur mes pieds, d'aplomb et à l'endroit.

Le culte de la déesse

Pendant les jours qui suivirent j'étais transportée, transfigurée, l'état de mes poumons tenant tout simplement du miracle. Je me sentais accompagnée par une présence que je ne voyais pas. Je trouvais du divin partout et en toute chose. Je me vivais enveloppée, choyée, rayonnante, comblée. Mon sourire reflétait la joie de mon arbre devant une aussi merveilleuse rencontre. J'étais dans un état de grâce permanent.

Malheureusement, mon nirvana fut de courte durée. Après quelques jours, les soucis quotidiens, mes inquiétudes face à la vie et à mon travail, ma peur de ne plus avoir suffisamment les deux pieds sur terre si j'accordais foi à ce que je venais de vivre et le culte que je vouais moi-même ouvertement, comme toute «bonne» occidentale, à la déesse raison, me faisaient douter chaque jour davantage de la réalité de mon expérience, d'autant plus que l'état de mes poumons s'était lentement détérioré. Finalement convaincue d'avoir été soit victime d'une illusion, soit victime de mon imagination, je me suis mise à douter de moi, de mon ressenti, de ma vision mais aussi de la manifestation dans mes poumons du pouvoir divin de guérison. Vaillamment, mes vieux réflexes sont revenus; par peur de me tromper, par peur du ridicule, par peur d'être infidèle à l'esprit cartésien, je me suis mise à danser, comme autrefois, à l'envers dans un monde soudainement redevenu vide et matériel et où l'apparente inertie de la matière me faisait vivre l'impression d'être moi-même chose figée, arrêtée. Je refusais aussi d'admettre combien ma promesse me désorientait.

Si je voulais être sincère envers moi-même il me fallait m'avouer que d'une part il me répugnait souverainement d'obéir et que d'autre part cette obéissance au divin soulevait en moi bien des résistances car je la voyais comme pouvant être lourde de conséquences pour ma vie professionnelle et familiale. Les écrits d'Annick de Souzenelle parlaient à mon arbre, mais le reste de ma personne refusait de vivre ce type d'aventure dite spirituelle et située loin, trop loin pour moi encore si attachée au culte de la déesse raison. Je n'étais de toute évidence pas prête à sauter, telle une enfant, à l'aveuglette, dans une autre forme de vie, sous les ordres d'un nouveau père, fût-il céleste. Tiraillée entre le désir de mon arbre qui souhaitait que je tienne ma promesse et ma peur de sauter dans le vide pour grimper au ciel, je me trouvais arrêtée là, un pied en l'air, ne sachant où le poser ni dans quelle direction marcher.

Une fois de plus, un événement de ma vie, sous l'apparence d'un conflit entre mon fils aîné et moi-même, allait dare-dare me sortir de cette situation inconfortable. La résolution de ce conflit me fit poser mon pied droit sur le chemin que mon arbre, sans l'ombre d'un doute, voulait que je prenne.

Écoute, petit d'homme

Mon fils était parvenu à la fin de son adolescence et certains de ses choix, certains traits de son caractère, me déplaisaient au point de me rendre difficile sa présence à mes côtés. Pour ces raisons, j'appréhendais sa prochaine venue parmi nous. Mes poumons choisirent justement son séjour pour se mettre en état de crise. J'en déduisis qu'ils manifestaient de cette façon mon désordre intérieur et mon malaise face à lui. Pour changer mon attitude que je savais injuste envers lui, il ne me restait plus qu'à descendre une fois de plus dans mes ténèbres, ce que je fis, maudissant au passage Dieu et tous les saints qui me renvoyaient en enfer.

Ce que j'ai trouvé à l'intérieur de moi n'était guère plus beau que la difficulté de ma mère à m'accepter telle que j'étais. À mon tour, je voulais que mon fils obéisse à mes exigences et à mes désirs. Je ne voulais d'aucune manière qu'il ressemble à son père, pas plus qu'à certains de mes traits de caractère que je détestais. Je pris alors conscience combien mon jugement sur ce qui était «bon» et «bien» pour lui s'en trouvait faussé. Il avait donc bien raison, à son tour, de ne pas m'obéir. L'ambivalence de mes sentiments à son égard me donnait, par ailleurs, une vue bien rétrécissante sur son propre avenir. Que pouvais-je savoir de son plan de vie? Comment pouvais-je alors prétendre lui imposer quelque chose? À cet âge, sorti définitivement de mes jupes, seul face à sa condition d'homme libre, responsable de sa vie, quels droits sur lui me restait-il? Ces prises de conscience firent tomber une à une toutes mes revendications.

En retrait, à différents moments de la journée et ceci pendant plusieurs jours, j'ai demandé l'esprit de tolérance, la capacité d'accepter ses choix et surtout l'ouverture de mon cœur à ce que mon fils était. Puis un jour, un mouvement intérieur balaya tout cela. Je revis, en un instant, son enfance à mes côtés et douloureusement je réalisai que je n'avais jamais pris soin de son arbre, que je n'avais jamais vraiment écouté le chant unique de sa vie d'enfant.

«Écoute, petit d'homme, c'est moi qui ai besoin de ton amour, de ta chaleur et, plus que tout, de ton pardon. J'ai enfin compris et je sais ce qu'il me reste à faire : t'aimer sans demandes, sans exigences, juste t'aimer pour qui tu es, pour que tu sentes ainsi la chaleur que peut donner l'amour; la douceur et la force que peut donner l'amour d'une mère.»

À partir de ce jour, doucement, une nouvelle manière d'être avec lui a pris forme, et l'état de mes poumons, à ma grande surprise, s'est de nouveau considérablement amélioré. Quelques mois plus tard, lors d'un de mes passages à Paris, à la terrasse d'un café, je l'ai «reconnu». Dans ses yeux s'agitait une flamme rouge passion semblable à la mienne, que je n'avais jusqu'ici jamais pris le temps de voir. Il était bien mon fils, j'étais bien sa mère pour sa vie.

Une affaire d'expérience

Devant ce nouveau brusque changement d'état de santé de mes poumons, mes doutes et mes refus se sont effondrés tels des châteaux de cartes. Avec joie, je me suis empressée d'ôter ces «bonnes raisons» que je m'étais attachées comme des fers aux pieds pour ne pas danser sous Sa lumière. Ce retour «inexplicable» vers la santé fit naître en moi la certitude qu'un monde invisible existait bien, mais aussi que je pouvais à nouveau faire confiance à mon corps. De même qu'il avait su sanctionner par des absences d'insomnie la justesse de mes pas dans mon aventure en terre humaine, il me montrait qu'il pouvait maintenant être ce guide sacré, cette parole vivante pour diriger mes pas sous ce nouvel éclairage.

Depuis ce jour, je ne «crois» pas en Dieu — car la croyance est d'ordre intellectuel — mais je puis écrire que j'ai foi en Dieu, la foi étant affaire d'expérience. Forte de mes expériences, forte de ma foi, le nez au vent, le cœur ouvert, je pensais, bien naïvement, qu'il ne me serait plus nécessaire de marcher à l'envers ou de travers pour marcher à l'endroit sous et vers Sa lumière.

17

Femme pleine de «bonne» volonté
cherche «bon» Dieu

L'énigmatique silence

Le Divin, ce «personnage» si silencieux, était avant mon expérience «quelque chose» tout en haut, derrière les nuages, à mille lieues de moi. Une fois ancrée dans ma foi, je me suis mise à vouloir le nommer pour m'en faire un ami avec qui marcher. Mais comment nommer l'innommable? Comment pouvoir approcher et connaître cet inconnaissable qui orchestre la création et que nos physiciens avides de conquêtes cosmiques cherchent à mettre en équations? Comme tout un chacun, je ne pouvais le faire qu'à travers les symboles et les archétypes qui leur correspondent, seules possibilités à la portée de l'homme pour rendre compte de la présence divine dans les choses et dans les êtres. Symboles et archétypes qui manipulent toutefois, à notre insu, nos croyances, nos pensées, notre vie psychique. Puissance de ces images, de ces représentations, que nous préférons cependant ignorer en nous considérant comme des êtres simples, raisonnables, hors du pouvoir qu'ils exercent sur notre inconscient dans l'irrésistible attrait que nous avons pour Dieu ou dans la force du déni de son existence que d'autres affichent. N'est-ce pas là une insoutenable légèreté de l'être, pour citer Milan Kundera, que de vouloir rester dans l'ignorance de la découverte de l'inconscient personnel et collectif et de faire «comme s'il n'en était rien, comme si on ne savait rien, comme si cette donnée nouvelle demeurait lettre morte[1]»?

Ainsi, si pour certains Dieu est un «Un», fait de «deux», père divin et mère divine liés symboliquement au ciel et à la terre, si pour d'autres Dieu est ce «grand Tout» qui contient le «Rien» et si pour d'autres encore, il est un corps trinitaire composé de trois personnes, le Père, le Fils et le Saint-Esprit, il était, à l'intérieur de moi, à mon grand désespoir, tout cela à la fois.

Dans ma tête, il était ce Tout-puissant, ce Père, ce Notre-Père-qui-êtes-aux-cieux — que je me suis surprise à réciter spontanément en pensant à lui. Comment aurait-il pu en être autrement? Élevée avec les principes chers à Jules Ferry, tout en respectant les dogmes de la religion catholique, je portais en moi cet héritage judéo-chrétien, sans «bonnes raisons» pour le rejeter, n'ayant jamais subi d'abus religieux ni de pratique excessive. C'est pourquoi, je pense, que je l'ai appelé Père, tout en préférant le nommer Lui. Plus viscéralement, Dieu s'apparentait pour moi au ciel et à la terre, symboles de père et de mère dont le Père divin et la Mère divine sont les archétypes. Tous ces symboles et archétypes pleins de mystère empêtraient par conséquent mes pas, me faisant marcher justement de travers avec ces noms de Dieu.

---

1. C. G. Jung, *Présent et avenir*.

Au nom du Père et de notre père

Ainsi, par exemple, mon désir d'être une de ses «bonnes» filles se conjuguait à ma crainte qu'il détourne son regard de moi si je ne me montrais pas digne de lui. Cette hantise de ne pas être «à la hauteur» lui conférait un pouvoir punitif. Bien sûr, ma tête savait ce Tout-puissant inconditionnellement clément à mon égard, mais j'avais quand même beaucoup de difficulté à ne pas voir, chaque fois que j'évoquais ce nom de Père, mon père terrestre se profiler derrière. Comment avoir totalement confiance en la mansuétude de ce père divin, alors que j'ai craint si long-temps le mien? J'ai cru justement jusqu'à tout récemment que toutes les guerres et tous nos malheurs étaient envoyés à l'Homme pour expier sa faute originelle et collective. C'est au cours de mes recherches sur la culpabilité persécutrice que j'ai compris que nous étions seuls responsables de nos guerres et sans doute de tous nos malheurs ici-bas. «Un fait reste indéniable, écrit Léon Grinberg dans son livre *Culpabilité et dépression*, les guerres sont décidées par les aînés, mais ce sont les jeunes qui sont envoyés à la bataille et à la mort. Les jeunes sont chargés de la culpa-bilité persécutrice projetée sur eux par les aînés; on déplace sur eux l'exigence d'expier cette culpabilité par une augmentation de la destruction, qui conduit à tuer, mais surtout on les expose à la mort. Cela conduit à un cercle vicieux, en général plus de culpa-bilité et de persécution, donc un nouveau besoin d'expiation.» C'est ainsi que mes connaissances acquises sur ce sentiment collectif de culpabilité, appuyées par l'expérience de ma propre culpabilité persécutrice, ont peu à peu estompé l'interférence de mon père terrestre dans la personne de ce Père divin.

Cette interférence est à mon avis un des grands obstacles à l'instauration d'une vie spirituelle car elle fausse l'image que nous avons de Dieu. Un jour où je partageais avec un ami mes réflexions sur ce sujet, il me confia que mes propos résonnaient beaucoup en lui. Il m'expliqua qu'il avait, tout récemment, pris conscience qu'il vivait comme en attente d'une punition divine. Punition qu'il avait, enfant, espérée en vain de son père pour une mauvaise action commise. Paradoxalement, la crainte de cette punition souhaitée lui faisait fermer sa porte intérieure au divin alors qu'il le cherchait désespérément à l'extérieur en se joignant à différents mouvements ésotériques, espérant ainsi le rencontrer et parvenir à être touché par lui. Mais toutes ses tentatives s'étaient soldées, jusqu'à ce jour, par des échecs. Et, en effet, comment Dieu aurait-il pu entrer par une porte si hermétiquement close, et pour cause? Autre exemple qui renforça mon hypothèse, celui de cette femme pleine de rancœur qui me regarda avec des yeux lourds de colère contenue quand j'eus la hardiesse de lui dire qu'au fond ce qu'elle souhaitait, ce n'était pas de démêler l'ambiguïté de sa relation à son père, intouchable à ses yeux, pour comprendre les épreuves qu'elle traversait, mais plutôt qu'elle pestait de ne pouvoir rencontrer Dieu pour régler ses comptes avec lui «entre quatre-z-yeux». Elle m'affirma en effet qu'elle contestait sa «bonté» divine et même son existence, car enfin, indépendamment de ses souffrances, comment Dieu pouvait-il tolérer tant de misère dans le monde? J'entendis : «Comment Dieu peut-il rester insensible et tolérer ma propre misère?»

Mère divine, la terre

Une fois reconnu l'impact du tempérament de mon père sur l'image du père divin, il m'a fallu ensuite me débarrasser du pouvoir négatif en moi de cet autre symbole, la Terre-Mère, et de son archétype, la Mère divine. En fait, je n'ai pas décidé comme cela, un jour, que ce symbole était négatif et qu'il fallait que je l'évacue; c'est plutôt la peur de l'échec d'un projet en cours de réalisation qui me mit sur la piste en faisant renaître mes insomnies. Comment faire face à la peur de ne pas être exaucée? Comment me battre contre la volonté de cette mère invisible et divine qui peut-être ne désirait pas plus que ma mère terrestre mon bien à être dans toutes les dimensions de mon être? Comment faire confiance à ces bras divins alors qu'ils continuaient à évoquer encore pour moi ceux de ma mère?

Terre-Mère divine. La terre ma mère. Par ton manque d'accueil, toute ma vie j'ai choisi d'habiter des métropoles où le revêtement des rues t'isolait de mes pieds, te cachait à mes yeux.

Terre-Mère divine. Ma mère la terre, dont les dons ne parvenaient pas à toucher l'enfant, puis l'adulte, de sorte que jusqu'à ce jour j'étais prête à quitter la vie, à quitter la terre à chaque instant, sans regret.

Terre-Mère divine. Mère nature sans goût, sans saveur, sans charme pour moi qui te regardais toujours en vacances avec grande indifférence, ne me sentant nulle part attirée.

Terre-Mère divine. Terre sacrée dont inconsciemment je ressentais si cruellement le manque. Manque que toute ma vie j'ai cherché à combler. Besoin de terre que je voulais travailler par tonne à Paris pour percer ton mystère à travers ta matière animée. Plus tard, choix de cette approche corporelle pour m'enraciner. Puis, tout récemment, l'acquisition de ce bout de terre québécoise où symboliquement j'ai planté mes racines en un lieu qui inspire mon arbre et ravit mon être tout entier.

D'identifier ces rapports que j'avais établis entre le symbole terre-mère et son archétype, la Mère divine, m'aida à dissiper mes craintes. Et, Dieu soit loué, tout finit par s'arranger, comme l'affirme le langage populaire. Ainsi la bonne volonté de mon arbre, complice de la volonté divine, est venue au secours de ma propre volonté dans mon besoin de créer à l'intérieur de moi une présence divine de terre et de ciel qui enfin me rassure et me sécurise.

Diaboliquement nôtre

Pour finir sur ces images et pensées empreintes de divin qui nous donnent en fait une bien triste représentation de la bonté divine, que dire de ce «mauvais» Dieu qu'est le Diable, responsable pour certains de leurs mauvaises actions qui vont les conduire tout droit dans l'enfer éternel. Dans mes entrevues individuelles, j'ai pu constater combien certaines leçons de catéchisme, certaines affirmations sur la vie éternelle assénées à la tête d'enfants sensibles ont encore des effets pernicieux dans la vie de ces enfants devenus adultes.

Une jeune femme atteinte d'un cancer aux seins me conta ses croyances d'enfant que lui avait inculquées une bonne sœur à l'école. Pour cette sœur, tous les plaisirs du corps étaient choses impures inspirées par le diable. C'est pourquoi, vers l'âge de onze ans, cette jeune femme se souvint d'avoir été terrorisée à l'idée de ce qui l'attendait après qu'elle eut regardé avec plaisir ses petits seins qui commençaient à pointer. Pendant toute son adolescence elle lutta contre son désir de regarder les transformations de son corps et surtout de ses seins, qu'elle trouvait beaux, pour être le moins possible tentée par le diable. Ses croyances, qu'aujourd'hui elle juge idiotes, contribuent-elles inconsciemment à alimenter en elle une irrésistible tentation de les mutiler pour gagner le paradis?

18

Sur les traces du pas recomposé

La tentation

Livrée à moi-même sur ce nouveau chemin de vie terrestre où j'expérimentais donc l'attraction d'un ciel soumis à l'emprise de la terre, la tentation de me lier à un regroupement religieux, une communauté, se faisait de plus en plus vive. J'espérais ainsi nourrir et soutenir ma foi, encore par moments bien fragile. De plus, la solidarité, la sécurité, la communion de pensée d'un groupe, la possibilité de m'en remettre à la «guidance» d'un Maître, et l'espoir de me fondre dans une prière collective afin d'offrir à la mienne une portée plus efficace, faisaient partie des nombreux avantages que j'entrevoyais dans une éventuelle appartenance à une communauté religieuse. Mais mes sentiments à ce sujet étaient très ambivalents. En effet je répugnais, entre autres choses, à l'idée de devoir me plier à des règles, à des rites et à des croyances qui me seraient, d'une certaine façon, imposés de l'extérieur. Je pensais aussi que si j'étais fondue dans l'ano-nymat d'un groupe, mes expériences se banaliseraient et ne pourraient plus par conséquent avoir la même valeur d'appren-tissage. Par ailleurs, il me semblait entendre l'ordre impérieux de mon arbre, qui ne voulait pas que je sois déjouée, que j'oublie mon propre pas qu'il me fallait recomposer. Il me prêchait aussi l'importance de cultiver mon individualité afin de préserver l'être unique, de terre et de ciel mêlés, que j'étais. Individualité présente déjà dès mon premier cri et qui se manifestera aussi au dernier. Il me demandait même de ne pas hésiter à l'affirmer, sans crainte aucune du jugement d'autrui, afin de me dégager définitivement dans ma vie de l'irrésistible attirance que représente l'image de nos pairs, à laquelle nous voulons à tout prix ressembler. Mais parce que j'étais faite aussi à l'image de Dieu, mon arbre voulait que je me «fasse», durant cette vie-ci, le plus possible à la ressemblance divine pour avoir un jour, espérait-il, peut-être après plusieurs vies, la pleine satisfaction d'être plantée à la droite de cet allumeur de réverbères qui pour l'instant éclairait notre route. J'ai finalement choisi, pour nous deux, une voie de compromis. Ainsi, quand l'occasion se présente, j'aime me joindre à un groupe de prière ou de méditation, écouter l'enseignement d'un Maître. Le reste du temps, j'accepte le défi de continuer à faire seule l'expérience journalière de ma foi, dans mes gestes quotidiens, au «hasard» de mes rencontres et de mes lectures ainsi qu'à partir des épreuves qui traversent ma vie.

Celle qui enseigne le pas recomposé

Par un heureux «hasard», j'ai eu la possibilité de suivre un stage de sept jours avec Annick de Souzenelle. Je me suis empressée de m'y inscrire, ravie que j'étais à l'idée d'entendre de sa bouche son savoir et ses connaissances. J'ai aimé le contact plein de rigueur et de miséricorde de cette femme solide faite à l'image de son enseignement qu'avec passion elle nous transmettait. Sa relecture inédite de la Genèse dans la langue hébraïque et son étude minutieuse de la tradition judéo-chrétienne et de nombreux mythes ont répondu à bon nombre de mes questions, m'ont révélé bien des mystères de ce monde du MI : monde invisible, monde de la transcendance que j'avais déjà approché avec bonheur à travers tous ses écrits.

Monde indescriptible que ce monde de la transcendance qui ne peut être saisi par le savoir d'aucune de nos sciences humaines. Merveille des mondes dans lequel est entré Saint-Jean-de-la-Croix dans un moment d'extase et qu'il a décrit dans un de ses poèmes :

> *J'entrais, mais point ne sus où j'entrais,*
> *Et je restais sans savoir,*
> *Transcendant toute science.*
>
> *J'ignorais tout du lieu où j'entrais,*
> *Mais lorsque je me vis là,*
> *Sans connaître le lieu où j'étais,*
> *J'entendis de grandes choses.*
> *Point ne dirai ce que je sentis,*
> *Car je demeurai sans rien savoir,*
> *Transcendant toute science.*
>
> *De la paix, de la bonté aussi,*
> *C'était science parfaite,*
> *Dans une profonde solitude,*
> *Le droit chemin vu bien clair.*
> *Pourtant c'était chose tant secrète,*
> *Que je demeurai balbutiant,*
> *Transcendant toute science.*
>
> *J'en étais à ce point imprégné,*
> *Absorbé, sorti de moi,*
> *Que je demeurai dans tous mes sens*
> *Dénué de tout senti,*

Tandis que l'esprit reçu en don
De pouvoir entendre sans entendre,
Transcendant toute science.

Tant plus haut je m'élevais ainsi,
Et tant moins je comprenais.
C'est là ce nuage ténébreux,
Qui rend la nuit toute claire.
Or, pour ce, qui vient à le connaître
Demeure toujours sans rien savoir,
Transcendant toute science.

Celui qui pour de bon parvient là
Se voit défaillir à soi.
Tout ce qu'il connaissait autrefois
Lui paraît chose si basse.
Et tant s'accroît en lui la science,
Qu'il demeure sans plus rien savoir,
Transcendant toute science.

Ce savoir issu du non-savoir
Recèle un si haut pouvoir
Que les sages et leurs arguments
Ne le peuvent jamais vaincre.
Car leur savoir ne saurait atteindre
À n'entendre pas en entendant,
Transcendant toute science.

Chose si hautement excellente,
Est ce souverain savoir,
Qu'il n'est ni faculté ni science
Qui le saurait entreprendre.
Celui qui soi-même le vaincra,
À l'aide d'un non-savoir savant,
S'en ira toujours plus outre.

Et qui si vous le voulez ouï,
Cette science suprême
Réside en un sublime sentir,
De l'essence de Dieu même.
Et c'est bien l'œuvre de sa clémence,
Que l'on demeure de rien entendre,
Transcendant toute science.

Au cours de ce stage, j'ai également redécouvert avec grand intérêt ce guide spirituel d'un éternel présent qu'est le Christ, à travers la symbolique de sa vie. Tout au long du stage, j'ai été très sensible à la totale tolérance d'Annick de Souzenelle à l'égard de toute forme de pratique religieuse. Pratique toutefois conseillée par elle pour maintenir cette respiration divino-humaine, ce dialogue avec Dieu. À la fin, nous l'avons quittée libres, mais tous, je crois, terriblement conscients du travail qu'il nous restait à faire pour nous-mêmes, par nous-mêmes et en nous-mêmes, en vue de ce dialogue pour une alliance ultime avec Lui. Travail intérieur, travail de notre terre des profondeurs, pour reprendre ses termes, qui conduit à la «Porte des Hommes», grande étape sur le chemin de ce projet d'alliance. Porte des Hommes qui ne peut être franchie que si en chacun de nous il y a mutation de nos énergies psychiques, un retour et une obéissance aux lois ontologiques[1]. Lois qui exigent, pour être appréhendées, un nouveau regard, un changement d'attitude, un autre niveau de conscience de la part de celui qui désire passer cette porte en choisissant de s'engager à vivre selon ses lois.

---

1. Ontologique : relatif à l'être en tant que tel. Les lois ontologiques sont celles qui «régissent la Création avant la chute et qui, fondamentalement, demeurent mais échappent à notre conscience ordinaire» (Annick de Souzenelle, *Le symbolisme du corps humain*).

À la recherche de notre Nature perdue

Lois ontologiques, d'essence divine, qui reconduisent en permanence, chaque jour que le bon Dieu fait, ce miracle qu'est la vie. Ces lois qui gouvernent donc notre nature première, notre microcosme intérieur, reflet de ce macrocosme extérieur qui nous entoure, n'ont rien de commun avec nos lois humaines et ne s'appuient sur aucune morale. Dans certains cas, elles peuvent même nous demander de nous engager dans une voie ou de prendre une décision qui va à l'encontre de l'ordre établi ou des règles de bienséance en vigueur dans notre culture. Ces lois qu'éclaire le sens de nos mythes, de nos symboles et de nos textes sacrés ne se laissent dévoiler que par l'intuition clairvoyante du Connaissant, de l'Éveillé. Toutes balisent pourtant tous nos chemins de vie; c'est pourquoi la quête du sens de nos expériences, de nos difficultés ou de nos épreuves, qui fait de nous un Éveillé, est un des moyens privilégiés pour nous aider à identifier ces lois pour ensuite nous y conformer. Chaque expérience, chaque événement bon ou mauvais représente donc une opportunité qui est offerte à chacun d'entre nous pour «reconnaître» ses lois qui, loin de brimer notre vraie nature, sont là au contraire pour favoriser l'éclosion de notre être tout entier en nous donnant les clefs du chemin de notre devenir. Notre marche sera alors «à l'endroit», à la droite de notre être, dans notre droiture, nous faisant vivre l'autre dimension de l'Homme, sa verticalité. Verticalité que symbolise notre colonne vertébrale où s'inscrivent nos transformations, mutants que nous sommes, afin de devenir Homme.

Ainsi, tout ce que nous faisons, nous devons le faire pour nous, pour que nos expériences tout au long de nos vies tissent la trame de ce tissu vivant, de cette parole vivante, de ce Verbe que nous sommes appelés à devenir. Pour accomplir cette tâche délicate, il nous faut sans relâche bien identifier nos fils de trame, nous souvenir, en les découvrant, de nos fils de chaîne, pour reconnaître l'ordonnance du passage de ces fils qui suivent les lois secrètes de ce Maître tisserand qui sait parfaitement comment créer ou réparer tout tissu vivant. La qualité, la force de nos vies est donc conditionnelle, comme pour tout tissu, à la qualité et à la force de résistance de chacun de ses fils de chaîne.

Le «devenir» de l'Homme est par conséquent pour moi dans l'horizon de sa vie qui constamment appelle la verticale du souvenir afin qu'il grandisse et se divinise.

En mal de devenir

Obéir à ces lois, c'est par conséquent obéir aveuglément à la volonté du Père, à ma nature première, à cette partie de moi que je savais qu'un jour je finirais par épouser et qui demande constamment plus de lumière, plus de soleil pour rejoindre le Père. Cette obéissance m'oblige à plus de rigueur, d'honnêteté et de transparence envers moi-même d'abord, envers les autres ensuite. Je m'emploie aussi à consolider amoureusement mes fils de chaîne qui créent en permanence mon lien avec le Père, et je vérifie à chacune de mes expériences si ce nouveau fil de trame est conforme aux motifs et aux couleurs que je souhaite pour ma vie.

Chaque fois que je me conforme à ce grand dessein humain, ma tête n'a plus peur, plus peur de vivre, et je suis abondamment récompensée par un plus grand bien-être, un plus grand savoir qui me fait mieux sentir combien il fait bon vivre, combien il est bon de marcher. Et pourtant, mon souhait de toujours me conformer à ses lois est sans cesse confronté à une autre forme de désir tout aussi puissant que l'on peut imaginer comme l'envers d'une même médaille. Ce désir qui s'apparente plus à l'instinct, qui est un peu comme l'affirmation de l'Homme contre la volonté du Père, réveille mon envie de m'arrêter, de m'installer sur mes lauriers en flattant mon ego qui ne veut pas que mon ancien mode de vie soit écarté, par peur de devoir être à son tour sacrifié sur l'autel de la divinité.

Quand je vis ces moments-là, je m'apitoie alors sur moi-même et excuse, par mon droit à la paresse ou à un bonheur plus terre-à-terre, ma stagnation, mon refus de marcher. Malheureusement, ces moments d'insoumission ont vite fait de me tirer en arrière, de me rendre insatisfaite de mon présent et de ma vie, et mon inquiétude face à l'avenir s'empresse de revenir. Bref, je me sens en manque de joie, de plaisir, de vitalité, en «mal de devenir»; mes poumons s'empressent alors de manifester cet état de désenchantement en retrouvant leur maladie.

Maintenant, je le sais, ma maladie exprime ce «mal de devenir» qui s'installe au creux de mes poumons dès que je tourne le dos à mon arbre et à mon Père en me coupant d'eux, en n'ayant plus de Foi ni de Loi. Alors que quand je sens leur présence, quand je dialogue avec eux, quand j'accepte de m'en remettre à eux et à eux seuls dans ma vie, mon ego s'efface, une force intérieure, une joie de vivre faite de lâcher-prise et non plus de tension, remplit mon corps qui rayonne alors de santé.

Ma maladie n'existe plus; ce diagnostic si redoutable, qui avait pour seul mérite de mettre mon «mal» à l'extérieur de moi et donc de me dégager de toute responsabilité dans un possible retournement en «bien», n'a plus force de loi. Seul peut renaître en moi, parfois, ce «mal de devenir» dans mon corps fatigué, éprouvé, encombré, qui a du mal à respirer quand il refuse de s'abandonner à la volonté de mon arbre et à celle du Père mais

aussi à la vie qui l'habite, qui cherche à lui imposer son caractère sacré, son goût de l'aventure, sa matière animée à travers
tous ses cycles. Cycles de mort et de renaissance qui me rap-
pellent, chaque fois que j'observe la nature, la création tout
entière, que toute évolution n'est jamais linéaire, qu'elle ne peut
se passer de périodes de noirceur, et que l'imprévisible est la loi
du possible.

Mal du corps, mal de l'âme, mal de vie, corps qu'il est temps
d'aimer pour aimer l'âme, pour aimer la vie. Pour aimer la vie
tout entière sans savoir exactement ce qu'aimer veut dire, mais
en sachant que la vie n'a jamais de fin et qu'elle est sans limite
dans l'abondance qu'elle nous propose et nous offre.

Âme que ce Palmier royal qui est en moi et qui n'est plus
dissocié de mon corps-forme. Corps et âme célébrés, dualité effacée, unité retrouvée. Je vous salue et je souhaite que nous
cessions de croire à la maladie sans cause, sans raisons, que la
science médicale cherche à maîtriser en oubliant le malade. Sou-
haitons que le malade cesse pour sa part d'attendre impatiemment
sa guérison du seul pouvoir médical. Le remède à tout mal est
autant, sinon plus, dans ce corps détourné de sa vraie nature et
que la maladie cherche à sauver, que dans le savoir médical.
Nourrissons pour le malade l'espoir qu'il s'approchera suffisamment de sa maladie pour entendre ce qu'elle a à lui dire et
pour qu'il comprenne à son tour qu'il est temps pour lui d'obéir
à la sainte folie d'une Foi qui le retournera afin de lui apporter
son guérir ainsi qu'une autre forme de vie.

19

Aller vers soi
pour marcher vers Lui

Marcher sur Son chemin

En cherchant le tracé de Sa voie, je marche donc vers Lui. Je marche en m'assurant que chacun de mes pas épouse bien la Terre pour sentir Sa voie. Je me fie pour cela aux ressentis de mes pieds qui depuis mon enfance se sont tant exercés à trouver Son chemin et cela, quel que soit l'état de la route ou celui de mes pieds. Ce tracé est parfois bien visible, parfois bien secret, quand d'aventure il se trouve dissimulé sous les désordres qu'une nouvelle tempête a apportés. Ne sachant alors plus la direction qu'il me faut prendre, je retrouve comme toujours pour un temps ma peur au ventre, le doute en tête, angoissée chaque fois à l'idée que je me suis peut-être égarée pour toujours. À moins que, déroutée par ce nouvel obstacle qui ébranle si fortement à l'intérieur de moi tous mes acquis laborieusement consolidés à partir de mes épreuves passées, je reste, boudeuse et révoltée, assise sur le bas côté du chemin, insensible à la présence de mon arbre qui, lui, sait. Il sait que ce nouvel orage qui ralentit ma marche, ce nouvel obstacle qui obstrue mon chemin, tout ce qui trouble mon repos et suspend une fois de plus mes gestes est placé là soit pour m'obliger à m'arrêter et à m'interroger, soit pour que je découvre que ce que je croyais mort est seulement enfoui et que ce à quoi je tiens le plus aujourd'hui n'est pas fait pour durer. Il me suggère d'attendre le passage d'un vent favorable qui pourrait balayer Son chemin. Et si l'obstacle placé sur ma route est trop difficile à franchir et la douleur sous mes pieds trop aiguë quand je m'obstine à vouloir marcher, il me conseille fortement de chercher du regard s'il n'y a pas tout près de moi une autre direction qui pourrait me permettre de l'éviter. Pourquoi s'acharner quand l'obstacle est si grand? Peut-être est-il justement placé là pour me faire changer d'idée.

Mon arbre me dit aussi de me souvenir que chaque difficulté, chaque nouvelle épreuve que je rencontre sur Son chemin, ne me fera de nouveau tourner en rond, pleurer et désespérer que si je ne la prends pas pour ce qu'elle est, c'est-à-dire pour un événement chargé de continuer à m'élever. Cet événement qui me fait faire ce mauvais pas exige de moi un travail intérieur pour me remettre à l'endroit. Mais le nouveau temps d'arrêt que me fait vivre ce travail intérieur, temps d'arrêt où je ne vois plus rien, où je ne sais plus rien, est bien différent du temps d'arrêt d'autrefois. Il me demande maintenant de mettre de côté mon mental et ma psyché pour m'asseoir, sans me révolter, auprès de mon arbre qui ne demande qu'à m'aider. Patiemment je le laisse «me travailler» jusqu'à ce que ma volonté à vouloir tout régler devienne la volonté du Père à laquelle je me soumets. Ma volonté ainsi retournée permet à l'espérance de se manifester pour me permettre d'attendre que me soient révélés, comme par magie, le sens profond, la raison d'exister de cet événement qui m'a fait trébucher, et cela à n'importe quelle heure, dans n'importe quel lieu. Merci, mon Dieu, je peux continuer!

Le chant du cœur

L'exemple le plus probant d'un de ces temps d'arrêt pro-voqué par un de mes pas, qui me laissa pendant plusieurs mois désorientée, fut la rencontre imprévue avec un homme, ré-cemment divorcé. Au cours d'une soirée passée chez des amis que nous avions en commun, j'étais assise dans le salon en sa compagnie. Je l'écoutais poliment me parler des femmes en général et des conditions qui leur sont faites dans ce pays en par-ticulier. Sur un ton qui se voulait plein d'humour, il me contait des histoires supposément «drôles» sur le rapport entre les femmes et les hommes. Ces histoires, agrémentées d'anecdotes pleines de poncifs et de jugements à l'emporte-pièce mille fois entendus, ne semblaient pas me toucher. Pourtant, plus son monologue désobligeant avançait, plus mon ventre se crispait, plus ma gorge se nouait, plus je réfrénais mon envie de l'étran-gler pour qu'enfin il se taise. Je sentais aussi, sous le couvert d'un air faussement innocent, sa grande satisfaction à pouvoir débiter tout son «stock» dans l'oreille apparemment attentive et com-plaisante que je lui prêtais. Peut-être était-il aussi ravi de pouvoir, grâce à ma passivité, égratigner sans retenue sa femme sans jamais la nommer à travers la Femme que je représentais. Clouée sur ma chaise par ma violence contenue, je continuais à subir sa conversation sans oser réagir par peur de l'ampleur que pourrait prendre ma réaction; je ne voulais pas créer un scandale. C'est mon mari qui, en venant se joindre à nous, me libéra de l'esprit vindicatif de cet homme. Du même coup, je m'empressai de mettre un terme à notre soirée.

Sur le chemin du retour, au bord des larmes, je contais à mon mari certaines réflexions de cet homme sur la Femme et la fémi-nité, sur ces oiseaux sans tête qu'étaient pour lui les femmes, sur le déséquilibre qu'il trouvait normal entre les hommes et les femmes à propos des salaires différents pour un travail égal, et d'autres âneries dont il m'avait copieusement abreuvée. En relatant tout cela j'étais consciente qu'il était stupide de ma part d'y accorder autant d'importance, mais je me sentais malgré tout très blessée, car ce misogyne notable venait de rouvrir ma blessure atavique, cette lettre F qu'avec beaucoup de peine je revendiquais pour affirmer mon droit et celui de toute Femme à l'existence et à l'équité.

Pour cicatriser définitivement cette plaie encore à vif, je me mis à lire sur ce vaste sujet qu'est la Femme et la féminité. Je fus très vite submergée d'informations où je relevais avec satisfaction les «bons sentiments», les «bons soins», les «bons conseils» que divers pays se targuent d'offrir à la Femme pour mieux la considérer et la protéger; mais je fus aussi meurtrie par tous les drames dont la Femme, mère et épouse, fait les frais. Je décidai de fermer tous ces livres et revues pour aller traiter de mon propre cas en psychothérapie. Je pensais qu'en explorant la dissociation que j'avais établie depuis mon adolescence entre la sexualité et mon cœur, je trouverais le traitement qu'il fallait à cette blessure. Dissociation qui m'avait permis de vivre, à l'écart de ce cœur si tourmenté, ma sexualité, de façon pourrais-je dire satisfaisante pour mes sens, mon corps et ma vie de couple. Après quelques entrevues je n'avais guère avancé.

Puis, un jour, une forte grippe enfiévra mon corps. Consciemment, avec elle, j'ai sombré avec délectation dans un état végétatif qui me rendait incapable d'ordonner la moindre forme de pensée. Après quelques jours de cet état de grâce, je me sentis dans un tout autre état d'esprit, comme nettoyée de ma volonté à vouloir tout résoudre, à vouloir tout comprendre. Je pensais à Lui et à mon arbre et décidai de les laisser faire, si cette blessure devait pour toujours être cicatrisée. Une fois suffisamment rétablie pour me lever, je me suis dirigée vers ma cuisine pour boire quelque chose de chaud. Tout en me préparant une tasse de thé, le souvenir de mon mariage me revint en mémoire. Je repensais à mon serment, à tous ces mots que j'avais prononcés ce jour-là, sans en mesurer réellement la portée. À l'évocation de ce souvenir, je fus prise de l'envie de murmurer, avec tendresse, une strophe du Cantique des cantiques que j'avais récemment entendu lors d'un mariage d'amis. Hymne à l'amour, au partage et à la complémentarité. Hymne louant la beauté de la femme et sa divinité. Puis, subitement, une chaleur est venue embraser mon bas-ventre et dilater mon sexe. Surprise, je me suis arrêtée là où j'étais, entre deux pièces, ma tasse de thé à la main, et dans un temps suspendu, toutes sortes de sensations étranges et inconnues se sont mises à parcourir mon corps. Le rythme de ma respiration est devenu très lent, très léger, en harmonie avec l'air qui m'entourait. De mes pieds, rivés au sol, naquit un courant d'énergie qui passa dans mes jambes, puis monta le long d'une voie royale qui reliait mon sexe à mon cœur. Je me sentais solide, offerte, prête à être ensemencée. J'étais en cet instant la pleine ouverture, celle du sexe et celle du cœur. L'ouverture prête à aimer, à accueillir et à se donner, pour recréer, l'espace d'un instant d'éternité, l'unité.

Pendant ces minutes inoubliables, j'ai compris, ou plutôt tout mon corps a vécu ce qu'est la nature éternelle de la femme : elle est réceptacle d'amour, ouverture à la vie pour la vie. Elle est force de vie.

En cela, la femme doit aimer et préserver son ouverture en choisissant l'époux qu'elle sait digne d'y entrer.

Parce qu'elle est porteuse de vie, parce qu'elle donne la vie, la femme doit se respecter et être respectée. En aucune façon elle ne doit craindre d'être réprimée quand elle manifeste son besoin d'être aimée.

Pour que renaisse son amour pour elle-même, pour qu'elle cesse d'être blessée par un quelconque sentiment collectif qui la déprécie, qui l'humilie, la femme doit reconnaître son identité et surtout la louer afin d'accueillir et de protéger constamment ce qui la fonde depuis la nuit des temps et qui est si beau.

Ce soir-là, très émue, face à mon mari tout d'abord étonné, je l'ai redemandé en mariage, lui ai dit que je le trouvais digne d'être mon époux, digne d'aimer ma féminité dans la femme qui venait de se retrouver. Dans l'ivresse de nos amours mêlées nous nous sommes remariés.

Celui qui parle au milieu du jardin

Le temps est ensuite venu où il m'a fallu répondre à un appel plus exigeant, plus engageant de la part de mon arbre. Maintenant que j'étais plus sereine, il réclamait plus d'attention. Il voulait que j'entre plus souvent dans le silence et l'immobilité pour créer à l'intérieur de moi un espace plus propice à nos rencontres à trois : Lui, moi, et lui. J'ai obéi : ces temps de silence dans l'immobilité, je les lui ai donnés. Loin de tout préjugé, de tout modèle, j'ai instauré mon propre rite pour répondre à sa demande. Il arrive encore à ma forme de renâcler à cet exercice quotidien, comme à toute forme de discipline d'ailleurs. Puis elle finit par accepter en suivant les conseils de mon arbre qui lui dit :

Respire... Respire...
Sens l'axe de ton corps qui part de ton assise
bien ancrée au sol vers le sommet de ta tête
qui pousse vers le haut.

Étire-toi sans crainte entre terre et ciel.
Deviens juste cet étirement.

Inspire.
Inspire… Inspire en retrouvant la voie royale
qui va de ton bassin à ton cœur.

Respire… Respire…
Expire profondément, laisse défiler tes pensées sans
les juger jusqu'à ce que ton esprit se calme,
jusqu'à ce que le silence s'installe.

Respire…
Agenouille-toi avec amour dans la cathédrale de ton cœur.
Déposes-y tes demandes, tes interrogations.
Ne cherche plus de solutions à tes problèmes,
abandonne-toi.

Viens jusqu'à moi, viens vers ta source.

Abandonne-toi.
Abandonne-toi encore et encore à chacune
de tes expirations un peu plus profondément.

Abandonne-toi à ma sagesse pour accomplir ta destinée.

Respire… Respire…
Descends vers moi pour monter vers Lui.
Entre en résonance avec moi, avec Lui, et laisse-toi
te resouvenir. Laisse-toi te resouvenir au-delà
des apparences de ce savoir très ancien
que j'ai accumulé au fil de toutes mes existences
et qui dans le silence attend de devenir tien…

Accueille le silence, cet outil précieux,
pour t'aider à te resouvenir.

L'espace d'un instant qui touche au merveilleux, il arrive parfois à mon corps de s'abandonner suffisamment pour s'ouvrir à un autre plan de conscience. Et, en effet, des fois je me souviens. Resouvenir, prise de conscience, connaissance qui émerge de la profondeur de ma personne, de ce savoir ancestral qui me vient de mon arbre et qui sont pour moi autant de leçons qui m'ouvrent à la beauté de la vie.

Le cordon d'argent

Ces rendez-vous quotidiens ne me sont pas toujours nécessaires pour être en contact avec mon arbre et avec Lui. En effet, l'assurance de leur présence peut advenir dans le banal de mes gestes quotidiens. Ainsi, un jour où le cœur me manquait pour m'atteler à mes tâches ménagères, tâches répétitives auxquelles il me répugnait, depuis toujours, de devoir me plier, je décidai de penser à mon arbre et à Lui en travaillant sans chercher, selon mon habitude, le moyen de remettre à demain ce qu'il m'était pourtant nécessaire de faire le jour même. Ces corvées, synonymes pour moi d'ennui mortel, me rappelaient ma mère «femme à la maison» et mon mépris pour ses gestes de service qui justifiaient, à mon sens bien médiocrement, son existence. Toute sa condition de femme soumise, esclave des besoins de sa famille, me révoltait. D'ailleurs cette condition la suivait comme un boulet au pied qui l'empêchait d'avancer, ce qui lui faisait littéralement traîner les pieds en marchant.

C'est pourquoi, sans doute, quand mes gestes s'identifiaient aux siens, j'éprouvais toutes sortes de malaises, fatigue, oppression, maux de tête, quelquefois avant même de commencer mes propres tâches ménagères. Ce qui me surprit ce jour-là, c'était de ne rien ressentir de tout cela. Ce «rien» était-il la manifestation d'une soudaine transformation de moi-même en ménagère zélée? Je me mis à y regarder de plus près. Ma respiration, la liberté et la tranquillité intérieure que je sentais en moi étaient, me semblait-il, d'une autre nature. L'image symbolique d'un cordon qui me reliait à cet autre monde que j'appréhendais depuis peu apparut à mes yeux. L'image me fit sourire car elle exprimait parfaitement ce que je vivais. En effet, après avoir été reliée successivement à une matrice utérine, puis familiale et sociale, je me voyais en cet instant non plus attachée à un plan horizontal, bien terre-à-terre, mais reliée verticalement à ce monde céleste qui me donnait ce jour-là en cadeau le sentiment d'être dégagée pour une fois de cette impression, maintes fois ressentie, d'être prisonnière de mes devoirs familiaux.

Une insolente liberté

Sensible à ce qui m'animait, j'ai tranquillement continué à repasser les chemises de mon mari, tout en me laissant approcher par mon arbre et par mon Père. Tout ce que je ressentais en cet instant me portait à croire que je vivais, justement, dans ma cuisine, la vraie liberté. Moi la rebelle, l'indomptée face à beaucoup de contraintes familiales et sociales, moi qui avais toujours eu le désir profond de faire des gestes sans jamais avoir à les justifier, de penser comme bon me semblait, et surtout de me battre pour affirmer ma liberté, je faisais connaissance avec une tout autre liberté bien difficile à expliquer. Elle était faite justement de l'oubli de cette liberté humaine, apparente, que j'avais toujours revendiquée. Ainsi reliée à ce monde invisible, j'accomplissais dans un corps bien léger ce que j'avais à faire, sans m'en formaliser. Très modestement ce jour-là, j'ai touché du bout des pieds,

des doigts et des lèvres à ce rayonnement intérieur, à cette stabi-
lité que donne cette nouvelle conscience, ces nouveaux points
d'ancrage auxquels nous pouvons être reliés, quand au fond de
nous est inscrite la liberté des êtres qui veulent se libérer.

Un changement de service

La vraie liberté n'était donc pas ce que je croyais. Celle que
j'ai vécue ce jour-là me donnait un sentiment de joie, une certitude intérieure au-delà de tout ce que je pouvais imaginer. En
effet, elle effaçait mes craintes d'être un jour possédée, empri-
sonnée par les désirs, les contraintes que d'autres humains seraient
peut-être tentés de m'imposer. Je savais maintenant, je venais d'en
faire l'expérience dans ma chair, que tant que je me sentirais ainsi
reliée, nul être sur cette terre ne pourrait me tenir en esclavage,
quelle que soit la tâche qu'il pourrait m'imposer. En remplissant
mes poumons et mon cœur, cet air de liberté venait de me faire
comprendre quelque chose d'essentiel qui me donna l'impression
d'avoir grandi, au propre comme au figuré, car je sentis ma
colonne se redresser. Mais alors que je m'apprêtais à m'inquiéter
d'une enflure possible de mon ego à me savoir si grande, si droite,
la perception d'être reliée à ce grand Tout, à ce nouveau père,
me fit sentir si petite qu'un profond sentiment d'humilité
m'envahit en même temps que la révélation que je désirais
maintenant Le servir.

Mais comment Le servir? Était-ce en me dévouant corps et
âme pour améliorer le sort de mon prochain, ou en me retirant
dans un monastère? Cette dernière éventualité, étant moins à la
mode qu'elle ne le fut aux siècles derniers, m'effleura moins longtemps. Par contre j'étais très partagée sur le type de geste qu'il
me fallait faire pour pouvoir Le servir. Une participation béné-
vole aux «bonnes œuvres» me séduisait car elle allait me donner

cette «bonne conscience» qui me ferait sentir que j'étais une «bonne personne». Mais j'éprouvais en même temps beaucoup de réticence devant cette nouvelle carrière de «bon samaritain», de Gentil, qu'il me fallait me semblait-il embrasser pour Lui. Jusqu'à ce jour j'avais plutôt fui ces «bonnes» personnes et leurs «bons» sentiments, ne les trouvant pas toujours très «catholiques». Mon indécision me débalança très fortement, jusqu'au jour où mon arbre me glissa à l'oreille qu'il me fallait tout simplement servir la vie pour Le servir. Servir la vie en aimant toute forme de vie issue du pouvoir créateur du Père, à commencer par la mienne. Nourrir, soutenir et protéger ce souffle de vie qui m'animait et m'élevait, c'était cela réellement m'aimer. Ce fut pour moi une révélation : m'aimer ne voulait pas dire, comme je l'avais toujours cru jusqu'ici, satisfaire mon ego et en cela être égoïste.

Cette idée de me mettre au service de la Vie pour Le servir me plaisait beaucoup. Avec exaltation je promis à mon arbre d'essayer.

20

Lorsqu'un enfant
en nous réapparaît

En nous cette richesse

Une nuit j'ai rêvé que j'accouchais d'une fillette semblable à moi-même. Cet accouchement inattendu m'apparut pourtant dans l'ordre des choses de ma vie, la naissance de cette enfant symbolisant tout cet éveil que je vivais au plus profond de moi. Cette petite fille était dans mon rêve l'inverse de ce que j'ai cru être à ma naissance : pas belle, pas gentille, pas bonne. Depuis, j'aime m'imaginer qu'elle rit et respire en moi dans l'immense espace de la nouvelle matrice cosmique que mon ouverture au divin lui a donnée. J'aime m'imaginer que la terre de cette petite fille est sacrée et sera par moi-même respectée, que le ciel qui l'enveloppe est celui de ce nouveau père que j'ai, sans toujours le savoir, tant cherché. Je ne connais pas le nom de cette enfant, chair de mon arbre, chair de ma chair, et sans doute ne le saurai-je jamais, mais je sais que son nom sacré est scellé dans la moelle de mes os et qu'il appartient au Verbe de ce nouveau père, sous le regard duquel cette fillette s'élève. Son nom EST, sa présence en moi EST; cela me suffit car elle me permet enfin d'exister sans qu'il me soit nécessaire de m'agiter.

J'aime m'imaginer que mon arbre s'en trouve régénéré, lui ce vieux soldat fatigué par cette vie où il s'est tant engagé. J'aime m'imaginer qu'il est heureux de me savoir sur Son chemin en compagnie de cette enfant qui goûte mes caresses et la joie de ma nouvelle maternité. Chaque jour j'essaie de me retrouver en elle en redevenant enfant pour pouvoir à ses côtés rire, jouer, aimer sans me blesser, et écouter avec grand intérêt mon Père dialoguer avec cette enfant de lumière nouvellement née.

Rire, jouer et, pourquoi pas? danser

Retrouver l'insouciance, la légèreté qui permet à tout enfant de rire et de jouer. Je ne sais comment l'installer de façon durable en moi, car je n'ai nulle part où chercher la certitude de l'avoir un seul jour éprouvée dans le cœur de l'enfant que j'ai été. Insouciance, légèreté si naturelle chez tout enfant dont les parents sont des grands qui savent les entourer, répondre à leurs besoins, écouter leurs désirs et surtout les aimer. Récemment, cependant, je suis arrivée à pleinement jouer. J'ai joué à être ce que je n'étais pas, juste pour le plaisir délicieux de jouer.

C'était au cours de mes dernières vacances en Île-de-France où je n'ai pu, un jour, résister au désir de marcher à travers champs, allant de village en village, sous un soleil d'été qui réchauffait la terre et qui dorait mon corps. Seule, soulagée de toute contrainte, de toute obligation, je marchais d'un bon pas en récitant à voix haute cet appel à l'éternel ami :

Mais où est donc l'ami que je cherche?
Dès le jour naissant mon désir ne fait que croître
et quand la nuit s'efface, c'est en vain que j'appelle.

Je vois ses traces, je sais qu'il est présent.
Je sais qu'il est présent partout où la sève monte de la terre,
où embaume une fleur, et où s'incline le blé doré,
je le sens dans l'air léger dont le souffle me caresse,
que je respire avec délice, et j'entends sa voix qui se
mèle aux chants de l'été[1].

Ainsi, jouissant du soleil, des parfums des moissons, de la clarté du ciel, de la douceur de l'air et du chant des oiseaux, je vivais une sorte de ravissement, de plénitude jamais éprouvée jusqu'ici. Peu à peu tous ces dons du ciel et de la terre ont fait naître en moi une violente explosion de joie qui me fit rire et pleurer à la fois. Comment rendre compte de la puissance de cette émotion qui ce jour-là étreignit mon cœur? Comment me pardonner d'être passée pendant tant d'années à côté de tous ces cadeaux que nous donnent régulièrement ce ciel et cette terre sans qu'il nous soit nécessaire de demander?

En cet instant, dépouillé de tout, mon être tout entier était comblé, un sentiment de totale liberté a pris place avec force en moi. Au milieu d'un champ, je me suis mise à chanter et à danser sur un rythme endiablé. Puis m'est venue l'idée de jouer. Jouer à m'imaginer que j'étais pauvre, une Pauvre de Dieu, enveloppée d'une robe de lumière dont Lui m'aurait parée. Ainsi habillée, je suis sortie de ce merveilleux champ pour continuer à cheminer, le long des rues d'un de ces petits villages prospères, rayonnante du bonheur de sentir en moi la présence de ce Père nourricier. Je me suis ensuite imaginé que je m'arrêtais à la porte d'une de ces maisons richement rénovées et que je m'asseyais à la table où l'usage autrefois voulait que soit posé un couvert pour le Pauvre qui pourrait passer et demander la charité. Oh! surprise, la

---

1. Extrait du film *Ma saison préférée* d'Alain Téchiné.

pauvreté n'était pas là où je l'attendais. Cette pauvreté matérielle dont je m'étais entourée pour jouer n'était qu'apparence trompeuse. Je prenais conscience qu'on peut être à la fois riche de biens et très pauvre en esprit, de cet esprit divin qui ce jour-là m'avait mise en beauté et qui pouvait m'aider à trouver, si j'y croyais, tous les chemins qui mènent à la prospérité nécessaire à ma vie. Jamais je n'oublierai ma sainte folie, ma sainte joie, cette émotion si pure qui m'a donné l'envie de partir un jour prochain sur les traces de ces aventuriers que sont les pèlerins, en quête, sur leur chemin, de merveilleux, de vérité et d'histoires sur eux.

Partager pour le plaisir

En attendant le temps futur de cette sainte escapade, j'aime m'entourer de liens d'amitié, de fraternité et de sororité qui n'existent pour moi que dans la mesure où s'installent entre «l'autre» et moi une solidarité et un partage qui viennent d'un dialogue secret entre nos deux essences d'arbre. J'aime être engagée dans une relation sur la base d'un même plaisir à partager, à échanger, à s'épauler et même à communier, tout en sachant illusoire l'idée que l'on puisse arriver à comprendre parfaitement cet «autre» qui nous fait face. Cependant j'aime les rencontrer et n'hésite pas à me laisser cogner ou relever par tous ceux qui comme moi explorent leur vie intérieure pour se retrouver.

Chaque relation nouvelle qui se crée est unique en soi et, me semble-t-il, a sa raison d'exister. Je la vois un peu comme un miroir qui me reflète parfois ce que je prends grand soin de maintenir dans un coin de mon ombre, à l'abri de mes propres regards indiscrets. Une fois que je comprends la présence de cette nouvelle personne à mes côtés, ma relation peut, si je le désire, se terminer et devenir comme un lointain souvenir, un peu comme une vie passée qui a eu sa raison d'être. Ainsi chaque relation crée en moi un lien qui mérite parfois d'être renforcé, parfois de devenir ténu et très léger.

Mais pour pouvoir me vivre en toute liberté dans chaque relation, je dois me réapproprier sans culpabilité ma spontanéité, mon goût du risque sans vraiment l'évaluer, mon franc-parler et ma sincérité qui s'expriment à travers mes gestes et mes pensées. Qualités d'enfant que ces traits de caractère. Qualités qu'il m'a fallu autrefois dissimuler, pour me protéger de mes parents, ces grands, empêtrés dans leurs filets d'inquiétude, de mal-être aussi, si savamment tissés qu'ils leur enlevaient toute disponibilité pour écouter cette petite à leurs côtés, si semblable à eux-mêmes, qui voulait tant chanter et jouir de la vie qu'ils lui avaient donnée.

La joie de ne plus être punie ou grondée

Être cet enfant c'est aussi accepter de pleurer enfin sans me cacher, avec l'espoir secret que tout peut s'arranger, que je ne serai plus jamais ni punie ni grondée, si j'accepte de me regarder, pour une parole injuste, un comportement inadapté, un geste «mal-à-droit», involontairement posé à l'endroit d'un autre moi-même. Cette nécessité de me regarder me rappelle un miroir dans ma chambre d'enfant, avec lequel je jouais avec grand intérêt à découvrir mes mines et mes lignes depuis mon plus jeune âge jusqu'à mon adolescence. De face, de trois quarts, je regardais la forme de mon corps, les traits de mon visage, pestant de ne pouvoir, malgré tous mes efforts et toutes mes contorsions, voir mon arrière-train pour compléter l'image. Je me souviens aussi de mon désir de me soustraire à son verdict quand à l'intérieur de moi je me trouvais bien laide, bien «mal dans ma peau» à la suite d'exploits dont j'étais loin d'être fière. Ce miroir a disparu depuis et c'est les yeux fermés que maintenant je me regarde pour «voir» en moi ce qui, «mal» placé, m'a fait dire une parole, poser un acte que je voudrais cacher. Ce «mal», je ne l'associe plus au péché dont parlait le catéchisme de mon enfance, car depuis que je sais que le mot péché veut dire en hébreu «mal visé», je ne me blâme plus de parfois mal viser puisque, l'ayant remarqué, il m'est possible ensuite de rectifier la portée de mes gestes ou bien de m'excuser. De ce geste «mal-à-droit», mon arbre en arrive même à me féliciter puisqu'il me permet, chaque fois que j'accepte de le regarder sans complaisance, d'avancer en comprenant ce qui l'a motivé. Je retrouve ensuite pour un temps, jusqu'au prochain faux pas, la joie, la paix et la sérénité, qualités qui s'apparentent à l'enfance et à la divinité et qu'il est bon d'éprouver.

Aimer sans se blesser

Quel nouvel art d'aimer se laisse apprivoiser quand en nous disparaît ce qui, avec art, autrefois nous a blessés au point de ne plus savoir que mal aimer? Art d'aimer. Qu'il est difficile de dire ce que c'est que d'aimer, qu'il est difficile de savoir comment aimer l'Homme, comment aimer Dieu et quelles sont les conditions qu'exige l'amour pour l'Homme, l'amour pour Dieu.

À bien y regarder, il est mille manières d'aimer l'Homme. Autant de manières, autant de formes d'amour qu'il y a d'hommes, chaque manière d'aimer s'étant forgée après la première blessure d'amour qui nous a laissés désorientés. Sous le regard de l'Homme, je sais que j'ai toujours voulu cacher la mienne, ne sachant s'il s'aurait l'aimer. Après l'avoir pansée, sous le regard de Dieu, j'ai ensuite aimé ma blessure, sachant que c'est elle qui m'a conduite à Lui. Blessure d'amour des fois oubliée, des fois occultée et qui pourtant s'exprime bien innocemment, à notre insu, à travers une petite phrase que chacun reprend avec beaucoup de conviction chaque fois que nous croyons notre cœur à nouveau menacé par l'intrusion de quelque chose, en nous, qui nous semble un rappel du passé.

«Plus jamais ça.»

«Je ne veux plus rien savoir.»

«Cela n'a aucun bon sens.»

«Ils ne m'auront pas.»

«Je ne les laisserai pas faire.»

Chacune de ces petites phrases que nous nous lançons en pensant nous protéger n'est en fait qu'une façon de nous garder de toute forme d'amour inconditionnel.

Depuis que je connais la mienne, petite phrase assassine qui maintenait, bloquait tous les élans de mon cœur pourtant constamment à l'affût du véritable amour qui, en moi, rêvait de s'installer, je repère sur la bouche de ces autres moi-même leur petite phrase maléfique. Je la leur fais remarquer et, s'ils le désirent, ils peuvent à leur tour déceler — dans le sens qu'elle contient — l'amour conditionnel, cet imposteur, qui dirige leur cœur.

Tous mes regards tournés vers le Père verront-ils venir la prochaine flèche de Cupidon qui peut-être, qui sait? me sera envoyée pour reprendre cette passion amoureuse que je n'ai pas laissée fleurir jusqu'à terme pour en goûter tous les fruits et me laisser par elle enseigner? Que me faudra-t-il reconnaître et apprendre de l'amour-passion auréolé de sa gloire, que me distillera sa flèche? Est-ce la beauté extatique de l'amour? La cruauté de son désir qui jamais ne s'assouvit? Est-ce la vitalité qu'il insuffle en nous, la puissance de son feu, l'ouverture qu'il propose, le don de soi qu'il implique? Est-ce la nécessité que me soit révélée, à travers ma passion, une autre facette de moi-même que j'ignore et qu'il me faudra intégrer pour pouvoir m'en détacher? Je ne suis plus celle d'hier et si cela m'arrivait, peut-être que je saurais être suffisamment «sage» pour ne pas me dérober à son jeu, pour accepter de me laisser troubler, ensorceler au point de m'abandonner à sa folie; suffisamment «folle» aussi pour trouver ce que cette passion a à m'enseigner pour me rapprocher de Lui.

Amour fou, toujours?

Amour humain, amour fou, amour toujours, amour-passion qui inspire le poète, l'écrivain, le compositeur de chansons, et bien d'autres créateurs. Amour fou, amour-passion qui enflamme certains cœurs, et fait rêver tous les autres qui n'osent s'avouer leur désir d'être à leur tour embrasés par lui et pour qui la plus belle histoire d'amour mérite que l'on se meure d'amour pour elle. Mais ce désir du grand Amour est aussi fort que la panique qui nous saisit quand sa flèche nous touche, nous mettant par là même en demeure de le vivre car la fin fatale, imparable, nous est aussi connue. Pourquoi alors cet irrésistible désir de goûter l'ivresse mêlée d'amertume du grand Amour? Pourquoi l'appelons-nous? Pourquoi succombons-nous à son charme? Pourquoi, pourquoi nous rendons-nous esclave de son feu? Pourquoi, quand nous lui résistons, tombons-nous malgré tout dans un autre enfer tout aussi souffrant? Désir passionnel qui nous manipule. Désir qui se rit de nous, de nos craintes, des tourments qu'il nous inflige. Désir, qui es-tu?

Un temporel nommé désir

«Je suis comme vous temporel, me répond le Désir. Comme vous je me pare différemment selon vos âges sous la forme de mille et un désirs qui se manifestent dans le quotidien de vos vies, dans vos demandes, dans vos rencontres. Je suis un peu comme cet arc tendu qui anticipe l'atteinte de sa cible. Je suis surtout cette émotion particulière sans aucun fondement mais qui pourtant existe, qui vous envahit sans que vous y preniez garde et que vous ne pouvez davantage repousser. Toujours disponible et même tyrannique, je n'accepte de me retirer que quand vous cédez au sommeil pour vous restaurer et vous reposer de mes exigences.

«C'est moi qui vous motive sans cesse, qui stimule constamment les petits et les grands pour les ouvrir aux choses de la vie en leur donnant le désir de tout prendre, de tout essayer, de tout connaître, de tout comprendre, et c'est encore moi qui vous livre au plus merveilleux des pouvoirs, celui de votre imagination. Mais c'est aussi moi qui vous pousse à faire face au "pas encore possible" et même à l'impossible pour que vous ayez une juste connaissance des choses et de la vie. Ces expériences mises en œuvre par moi et qui se terminent souvent par des échecs vous permettent d'évaluer vos forces, et vos limites. Elles vous structurent chaque fois un peu plus en humain en élaguant les branches secondaires de vos arbres pour qu'ils deviennent vigoureux, pour qu'ils poussent droits.

«Vos élans me portent, votre confiance en vous est mon appui, votre libido est ma force. Votre courage et votre volonté m'aident à me satisfaire. Pourtant ma satisfaction ne dure qu'un temps car, à l'inverse des besoins, je ne peux jamais être réellement comblé puisque, sitôt satisfait, je renais sous la forme d'un nouveau désir. Mais je sais aussi devenir sage en acceptant de me transformer, d'être parfois transcendé pour vous permettre de vous réaliser.

«Je suis aussi ce goût que vous avez de vous élever, de connaître, de sentir en vous ces espaces d'amour infini qui peuvent doucement s'installer quand vous acceptez que je sois le premier pas de votre longue marche, car j'obéis à la Loi d'amour du Père. Si vous contrariez ma raison d'être, l'énergie qui m'habite se retourne contre vous en devenant énergie de destruction dont la puissance vous conduit dans vos enfers. Quand parfois je m'éteins, je provoque en vous vos interrogations. Vous cherchez alors à savoir pourquoi. Pourquoi n'y a-t-il plus de désir ? Je joue à ce moment-là mon meilleur rôle : celui de vous tourner vers le centre de votre être afin que vous retrouviez la trace de cette demande permanente inscrite en vous, qui à votre insu vous travaille et vous émeut.

«Ainsi, sans pouvoir vous l'avouer, vous voulez connaître à nouveau et pour toujours cet état fusionnel que vous avez déjà connu dans le ventre maternel. C'est pourquoi vous recherchez constamment sur cette Terre, à travers vos amours, à travers vos passions, ce lien d'amour primaire qui peut se comparer en bien des points à un sentiment océanique. Redevenir une goutte d'eau dans l'océan, fusion d'un univers dans l'Univers, c'est là le plus fou de vos désirs, qui ne peut malheureusement se réaliser par un retour impossible au passé ou dans l'union passionnelle et temporelle avec un autre vous-même, mais seulement par l'ultime alliance divino-humaine où moi seul peux vous conduire.»

À la lumière de toutes ces informations données par le Désir, je comprends pourquoi très tôt il se coulait dans la séduction de mon sourire et se manifestait, bien sûr, dans mes impatiences, mes cris, mes appels de détresse et pourquoi la puissance de sa flamme, qu'alimente en permanence la libido, résiste tant à son extinction.

Force érotique du Désir présente dans nos rencontres de corps, force érotique du Désir nécessaire aussi pour marcher vers Lui.

Prier en lui écrivant

Aujourd'hui, assise depuis de longues heures à ma table de travail, je cesse pour un temps d'écrire et de réfléchir. J'écoute le silence et j'entends tous les livres qui m'entourent me dire à l'unisson :

«Fais-toi confiance, aie confiance en ton chemin de vie, en ton arbre bien planté au milieu de ton être qui saura toujours te guider là où tu dois être, là où tu dois aller, dans la mesure où tu l'écouteras avec un cœur d'enfant enfin consolé. Ne reste pas là trop sagement assise en train de chercher à comprendre et à écrire Dieu sait quoi ! Ne te tracasse plus, espère simplement pour ta forme mille plaisirs divins, des printemps magnifiques, un bonheur éternel, car tu as foi en Lui. Sors, marche, continue à expérimenter et à jouer "pour de vrai" le jeu de ta vie.»

Oui, je sais qu'il me faut cultiver cette espérance, cette confiance. Mais la confiance en soi est difficile à acquérir et ma confiance en Lui bien difficile à maintenir…

Je vais sortir, c'est promis. Mais avant cela, il me reste cette tâche à accomplir, c'est-à-dire rédiger les dernières pages de ce livre que j'ai entrepris d'écrire. En effet, cela fait déjà plusieurs mois que j'écris sous la poussée de mon arbre. Cela fait sans doute très longtemps que Lui savait qu'un jour ce livre prendrait forme. Pour l'écrire, je ne me sers pas de la plume de mon enfance, je n'ai pas davantage tracé les pleins et les déliés de chaque lettre, mais me suis appliquée beaucoup en pianotant sur le clavier de cet ordinateur que le progrès m'a apporté.

Verbe divin qui m'inspire et me sculpte, mots humains que j'expire et qui témoignent. Phrases dont chaque mot sonne et résonne en moi et qui voyagent de mon ventre à mon cœur, de mon cœur à ma tête pour finir sur mes lèvres. Mots vivants, incarnés dans ma chair, qui de ma bouche se glissent ensuite sous mes doigts qui courent de touche en touche, les sentant et les effleurant toutes, sans oublier celles, magiques, qui effacent mes fautes ou bien les corrigent. Musique des touches, musique des mots, rythme des phrases, rythme du temps; écriture aujourd'hui soudainement rompue par le désir d'écrire à ce père divin, que tous les enfants appellent au moment de Noël.

Père Noël

Vous qui êtes si grand, moi qui suis si petite,
aidez-moi sur le chemin de cette nouvelle vie.

Ne me tourmentez pas, ne me bousculez pas,
je ne veux plus souffrir.

Laissez-moi tout mon temps pour marcher à mon pas,
sur ces nouveaux sentiers que je ne connais pas.

Soyez à l'intérieur de moi comme un très grand soleil
rayonnant en mon cœur et réchauffant mon corps.

Soyez en même temps la lune et les étoiles, l'univers tout entier
avec son grand savoir, capable de combler ma soif
de connaissance, ma soif de tout comprendre.

Faites attention à moi, je suis encore si fragile,
si vulnérable quand je rencontre mes frères,
que j'apprends à aimer en vous aimant.

Laissez-moi vous parler de mes joies, de mes peines,
pour me sentir moins seule en cette terre humaine.

LORSQU'UN ENFANT EN NOUS RÉAPPARAÎT

Avec impatience, j'attends cette nuit de Noël
où j'irai retrouver l'enfant divin, porteur
de tant d'espoir, de lumière et d'amour.

Enfant divin, à l'image de celui qui parfois se cache
si bien au fond de moi qu'il m'arrive de m'oublier
en l'oubliant, de me perdre en le perdant.

Vous qui êtes si grand, protégez l'enfant en moi,
qui se sent face à la vie si fragile et face à vous si petite.

P.-S. Je vous aime et vous demande simplement de continuer à
m'aimer tendrement.

Épilogue

Fierté de l'homme en marche sous son fardeau d'humanité. Fierté de l'homme en marche sous sa charge d'éternité.

Saint-John Perse.

Là-haut sur la montagne, assise sur la terrasse de ma nouvelle maison, dans le silence habité par les pulsations de la vie qui m'enveloppe, je goûte, j'entends, je vois. Je savoure et j'absorbe l'heure paisible et étoilée de cette fin de journée. Mon regard se pose sur ce lac couronné de sommets que je me suis donné. Lac multicolore par la grâce d'un magnifique coucher de soleil, espace clos que ce paysage qui interpelle en moi tous les autres espaces clos qui ont jalonné ma vie.

Je revois cette pièce, dans le sous-sol de la maison de mon enfance, à l'abri de la menace paternelle, où avec la tendre collaboration de mon arbre je cherchais à fuir ma réalité quotidienne en créant les robes colorées dont je parais ma poupée. Puis dans la quiétude de mon atelier où à l'âge adulte, protégée de ce monde extérieur que je n'osais pénétrer, j'essayais d'oublier mon passé en laissant mes mains parler. Ensuite dans la salle de cours de Sylvie, à l'écart des soucis que procure toute vie professionnelle, j'ai composé avec ma réalité, celle du dedans et celle du dehors pour, plus tard, dans ma propre salle de cours, tenter un nouveau dialogue avec elle à travers la réalité de tous ces autres corps, de ces autres moi-même. Je me souviens aussi des pièces feutrées de tous ces thérapeutes, guides visibles et invisibles, où j'ai «parlé» mon corps ô combien meurtri, pour soigner mon passé. Et pour finir, je revois mon ancien bureau où je fis le premier pas vers le Guérir qui me permet maintenant de me sentir pleinement vivre.

Avec le temps, l'espace créateur a lui aussi changé. Il est devenu aire de récréation où il me plaît de jouer. Son souffle est plus doux, plus léger, il n'a plus les raideurs du passé. J'aime ce que je fais sans devoir m'en blâmer. Je suis surtout enfin devenue femme de Terre attentive aux humeurs de la Terre et aux tourments du Ciel. Femme qui respire au rythme de sa terre, qui la ressource et la restaure. Terre d'exil, terre d'accueil, je m'attache à ton sol, à tes arbres, à tes ciels, à ton vent. Terre qui reçoit chacun de mes gestes quotidiens, qui ne sont rien de rare mais qui me tiennent occupée tout simplement. Terre où je cherche à concilier la retraite et l'action. Terre où j'essaie de ne pas me trahir, de m'aimer davantage, en cherchant à me retrouver dans chaque visage. Terre promise. Peut-être la passion la plus folle de toute, d'essence divine, m'attend-elle en ces lieux. Je saurai l'attendre dans cette maison où je peux enfin me réfugier en toute sécurité. Maison qui me renvoie à ma maison intérieure avec son toit rouge pour la passion, sa fenêtre pour la lumière, sa porte pour l'espoir. Aujourd'hui je reconnais et accepte ma nature passionnée. Je prends soin d'ouvrir chaque jour ma fenêtre vers la lumière, le savoir et la connaissance du cœur, et, quand les temps deviennent difficiles, je prends garde de ne jamais fermer complètement ma porte à l'espoir.

Je pense aussi à tous ces sommets que j'ai escaladés pour parvenir jusqu'à Lui. Je l'ai appelé, il m'a tendu la main, m'a réappris à marcher. J'ai fait mes premiers pas, ne suis pas tombée, ne me suis rien cassé. Je n'ai plus de raison d'avoir peur, je peux recommencer et sans crainte, aller maintenant à la rencontre de tous ces «autres» inquiets sur le chemin et leur dire qu'il est facile de marcher quand notre cœur n'est plus orphelin, quand l'amour qui nous est donné est un amour divin qu'on a laissé entrer. Larmes de joie et non plus de tristesse que je ne puis retenir. Larmes d'humain en devenir.

Je suis heureuse. Le secret de ce bonheur, je le dois en grande partie à mon arbre, largement déployé aujourd'hui à l'intérieur de moi. Je sens ses montées de sève, chaudes, lumineuses, divines. Il éclaire mon regard que je suis pourtant la seule à ne pas voir. Il me parle d'amour, de renouveau et de partage. Notre relation est maintenant basée sur un don mutuel. Il me livre ses connaissances et moi je le laisse passer devant pour qu'il oriente mes pas et puisse selon ses désirs faire les apprentissages dont il a besoin pour continuer à grandir et à se rapprocher de Lui. Arbre qui m'ensorcelle et qui m'étreint amoureusement, tu es là en moi bien présent.

En cet instant, à l'ombre de cet autre lui-même qui me protège le jour de l'ardeur du grand soleil, je pense aussi à ces temps troublés que nous vivons. Je sens le désarroi, l'avenir incertain, l'incompétence de nos élus politiques, le fossé qui ne cesse de grandir entre les riches et les pauvres, entre le Nord et le Sud. L'état de la planète me préoccupe aussi. J'interroge mon arbre et le ciel et la terre, et la réponse jaillit :

«Ces temps troublés ne le sont que par la volonté des hommes. Volonté qui se doit de muter. Alors seulement…»

Bibliographie

Anzieu, Didier, *Le Moi-peau*, Paris, Éditions Dunod-Bordas, 1985.

Ackerman, Diane, *Le livre des sens*, Paris, Éditions Grasset, 1990.

Bertherat, Thérèse, *Le corps a ses raisons*, Paris, Éditions du Seuil, 1976.

Bertherat, Thérèse, *Le repaire du tigre*, Paris, Éditions du Seuil, 1989.

Bossu, Henri et Chalaguier, Claude, *L'expression corporelle*, Paris, Éditions du Centurion, 1974.

Dolto, Françoise, *L'image inconsciente du corps*, Paris, Éditions du Seuil, 1984.

Dolto, Françoise, *Au jeu du désir*, Paris, Éditions du Seuil, 1981.

Dolto, Françoise, *Paroles pour adolescents ou le complexe du homard*, Paris, Éditions Hatier, 1989.

Dolto, Françoise, *Solitude*, Paris, Éditions Vertiges, 1985.

Grinberg, Léon, *Culpabilité et dépression*, Paris, Éditions les belles lettres, 1992.

Jung, C. G., *Présent et avenir*, Paris, Éditions Buchet/Chastel, 1962.

Kelley-Lainé, Kathleen, *Peter Pan ou l'Enfant triste*, Paris, Éditions Calmann-Lévy, 1992.

Leboyer, Frédérick, *Pour une naissance sans violence*, Paris, Éditions du Seuil, 1980.

Mallasz, Gitta, *Dialogue avec l'ange*, Paris, Éditions Aubier, 1976.

Montagu, Ashley, *La peau et le toucher*, Paris, Éditions du Seuil, 1979.

Piret, S. et Béziers, M. M., *La coordination motrice, aspect mécanique de l'organisation psychomotrice de l'homme*, Paris, Louvain, Éditions Peeters, 1986.

Pucelle, Jean, *Le Temps*, Paris, Presses universitaires de France, 1967.

Reeves, Hubert, *Patience dans l'azur, l'évolution cosmique*, Paris, Éditions du Seuil, 1981.

Souzenelle, Annick de, *Alliance de feu*, Paris, Éditions Albin Michel, 1995.

Souzenelle, Annick de, *Le symbolisme du corps humain. De l'arbre de vie au schéma corporel*, Paris, Édition Dangles, 1984.

Souzenelle, Annick de et Mouttapa, Jean, *La parole au cœur du corps*, Paris, Éditions Albin Michel, 1993.

Winnicott, D. W., *Processus de maturation chez l'enfant*, Paris, Éditions Payot, 1970.

TABLE DES MATIÈRES

imprimerie gagné ltée

IMPRIMÉ AU CANADA